LES POURQUOI DE L'HISTOIRE

Stéphane BERN

LES POURQUOI DE L'HISTOIRE

Albin Michel

« Il n’y a pas de limite assignable à la curiosité dans tout ce qui touche à l’Histoire. »

Charles-Augustin Sainte-Beuve

SOMMAIRE

1.

Pourquoi Socrate n'a-t-il rien écrit ?

Philosophe athénien du Ve siècle avant J.-C., Socrate est considéré comme le père de la philosophie et le fondateur de la rationalité. Condamné à mort en -399 pour athéisme et corruption de la jeunesse, il accepte son jugement et boit la ciguë, un poison mortel. Il disparaît ainsi sans avoir laissé le moindre texte. Pourquoi ?

Si la pensée de Socrate nous est connue, c'est grâce à certains de ses disciples, qui se sont chargés de nous rapporter ses paroles. Parmi ces élèves, les futurs philosophes Platon et Xénophon. Quant au maître lui-même, il n'a qu'une seule certitude, c'est de ne rien savoir. À sa maxime, « *Connais-toi toi-même* », qu'il a empruntée au fronton du temple d'Apollon à Delphes, on pourrait ajouter : *et apprends par l'échange avec autrui*. Déambulant dans les rues d'Athènes, Socrate dialogue avec des inconnus et les interroge sur des questions morales, comme la justice, l'amitié ou le courage. Dans ces conversations, son but est de « *faire accoucher les esprits* », s'inspirant en cela de sa mère qui était sage-femme. Cette démarche est à l'origine de la *maïeutique*. Il s'agit de poser des questions faussement naïves afin d'inciter l'interlocuteur à préciser lui-même sa pensée, à pousser son raisonnement au bout de sa logique, jusqu'à s'apercevoir que son savoir ne repose en fait que sur des croyances.

Cette méthode orale explique pourquoi Socrate n'a jamais rien écrit. Il considérait aussi l'écriture comme une pensée morte, inférieure à la parole. Manquant de spontanéité, l'écrit présente le défaut de dispenser du dialogue, qui demeure à ses yeux le seul moyen de s'approcher de la vérité. Il peut être mal interprété ou déformé : « *C'est pourquoi nul homme sérieux, assurément, ne se risquera jamais à écrire sur des questions sérieuses et livrer ainsi sa réflexion à l'envie et à l'incompréhension des hommes.* »

Si les dialogues de Socrate nous sont parvenus, c'est donc grâce aux retranscriptions de Platon, le problème qui se pose étant de savoir si les pensées qui s'y expriment sont bien celles de Socrate et non celles de son disciple. Un véritable écheveau... Quoi qu'il en soit, après la mort de Socrate, Platon enseigne à son tour la philosophie. Dans un jardin d'Athènes portant le nom d'*Académie*, il crée ainsi la première université digne de ce nom. Aristote y sera élève. Cette école restera en activité pendant plus de neuf siècles.

Socrate ne fut pas le seul philosophe à n'avoir laissé aucun écrit. C'est également le cas du célèbre Épictète, qui vécut entre le Ier et le IIe siècle de notre ère et dont la pensée nous a été transmise par son disciple, Arrien.

2.

Pourquoi Alexandre le Grand était-il pharaon d'Égypte ?

Alexandre est sans conteste le plus grand conquérant de l'Antiquité. Fils du roi de Macédoine Philippe II, éduqué par Aristote, il a bâti en quelques années seulement un empire allant de la Grèce jusqu'en Inde, qui représentait alors la limite du monde connu selon les Grecs. En outre, Alexandre a fondé plus d'une soixantaine de cités et assuré à la culture hellénistique un incomparable rayonnement. Mort à trente-deux ans, Alexandre n'a pourtant jamais été couronné empereur, mais pharaon d'Égypte. Pourquoi ?

Succédant à son père à la tête du royaume de Macédoine en 336 avant J.-C., Alexandre commence par conforter son pouvoir en Grèce. Deux ans plus tard, à peine âgé de vingt-cinq ans, il part à l'assaut de l'Empire perse accompagné d'une armée forte de 40 000 soldats. Après avoir écrasé l'ennemi sur les rives du Granique, au sud du Bosphore, Alexandre libère les cités grecques d'Asie Mineure. Souhaitant conserver l'avantage, il traverse ensuite l'Anatolie en direction du cœur du pouvoir perse. En novembre -333, il bat à Issos, en Cilicie, une armée trois fois supérieure en nombre et commandée par Darius III en personne. Le *Roi des Rois* s'enfuit précipitamment, abandonnant sa famille et ses insignes royaux. Plutôt que de pourchasser Darius vers l'est, Alexandre préfère poursuivre son plan d'encerclement méthodique des ports de la Méditerranée orientale. Il se dirige alors vers le sud, sur la Phénicie (actuel Liban).

À l'issue du siège de Tyr, long de six mois, Alexandre décide de vendre tous les habitants comme esclaves, en guise de représailles. Après avoir pris Gaza à la fin de l'année -332, le conquérant et ses hommes pénètrent en Égypte. Supportant mal la domination perse qui s'exerce sur eux depuis deux siècles, les Égyptiens accueillent Alexandre en libérateur, ce qui lui facilite grandement la conquête du pays. Occupant la vallée du Nil, le héros fonde alors le port d'Alexandrie, promis à un grand avenir. Dans le même temps, il est proclamé pharaon à Memphis.

Par respect des dieux égyptiens et souhaitant asseoir sa légitimité religieuse, Alexandre s'enfonce dans le désert. Dans l'oasis de Siwa, il accède au temple consacré à Amon, l'une des principales divinités du panthéon égyptien. C'est alors que le grand prêtre l'honore du titre de « fils d'Amon ». Sa divinité désormais attestée, Alexandre revient à Memphis et se fait officiellement couronner pharaon dans le temple de Ptah. Le nouveau maître de l'Égypte quitte le pays en -331. Quelques mois plus tard, contre son vieil ennemi Darius III, il livre à Gaugamèles la bataille décisive qui lui assurera la conquête de son empire.

Mort de fièvre à Babylone à seulement trente-trois ans, Alexandre entrera aussitôt dans la légende. Grâce à ses conquêtes, le grec est devenu pour deux mille ans la langue des échanges dans tout le bassin méditerranéen.

3.

Pourquoi Jules César n'a-t-il jamais été empereur ?

Parmi les nombreuses légendes erronées de l'Histoire, l'une des plus répandues concerne Jules César. Récemment, après la découverte dans le Rhône d'un buste du héros de la guerre des Gaules, un grand journal français n'hésitait pas à titrer : « *Un marbre de l'empereur a été découvert dans le fleuve à la hauteur d'Arles.* » Pourtant, Jules César n'a jamais été empereur. D'où vient cette confusion ?

Si cette erreur a pu traverser les siècles, c'est pour plusieurs raisons. En premier lieu, parce que Jules César a porté le titre d'« imperator », terme qui par la suite a donné naissance au mot *empereur.* Mais sous la République romaine, l'*imperator* désignait simplement un général exerçant un commandement en chef ; il devint un titre décerné aussi au général victorieux accueilli à Rome par un triomphe comme Pompée en -60 avant J.-C. et Brutus en -44.

Autre élément portant à confusion : si César n'a pas été empereur, il a néanmoins cumulé tous les pouvoirs. Ainsi en -45, après la bataille de Munda en Espagne, César, qui exerçait tour à tour les fonctions de dictateur et de consul, est nommé « dictateur à vie » – et devient le premier Romain à voir son profil frappé sur les pièces de monnaie de son vivant. On le célèbre aussitôt par quatre « triomphes » successifs.

Progressivement, un véritable culte s'organise autour de sa personne. Des jeux publics sont organisés en son honneur, des statues à son effigie sont dressées dans les temples, on va même jusqu'à donner son nom à un mois du calendrier (celui de juillet). Il est vrai que César prétend lui-même qu'il descend de Vénus !

En février -44, César est tout proche de se faire couronner empereur et de mettre fin à la République romaine. En effet, les sénateurs lui proposent un trône et un costume de roi. Au cours des fêtes de lupercales, une cérémonie publique est organisée au cours de laquelle Marc Antoine, l'un de ses plus fidèles amis, lui offre le diadème, symbole de la monarchie. Mais redoutant la réaction du peuple romain encore attaché à la République, César a la sagesse de repousser le diadème à deux reprises, déclarant : « *Jupiter seul est le roi des Romains !* »

Cette prudence politique ne sauvera pas Jules César. Il est assassiné un mois plus tard, sans jamais avoir été sacré roi ni empereur. La guerre de succession qui s'ensuit marquera la fin de la République romaine. C'est finalement son fils adoptif Octave qui sera le premier couronné empereur romain, en -27, sous le nom d'Auguste.

4.

Pourquoi Cléopâtre, reine d'Égypte, n'était-elle pas égyptienne ?

Par sa beauté légendaire, sa personnalité haute en couleur, ses histoires d'amour avec les Romains César et Marc Antoine, et sa mort mise en scène avec grandiloquence, Cléopâtre reste depuis deux mille ans la plus célèbre reine d'Égypte. Elle fut maintes fois représentée sous les traits d'une sensuelle Orientale au charme exotique, sans oublier ce fameux nez qui, selon Pascal, aurait changé la face du monde s'il avait été plus court. Mais sait-on que Cléopâtre n'était pas d'origine égyptienne mais grecque ?

Née en -69 avant J.-C., Cléopâtre VII est la dernière représentante de la dynastie des Lagides, des pharaons d'origine macédonienne. Trois siècles plus tôt, en -331, Alexandre le Grand a conquis l'Égypte, alors sous domination perse. Il s'est fait couronner pharaon à Memphis et, avant de quitter l'Égypte et de poursuivre sa fantastique épopée, il a fondé une cité à laquelle il donne son nom : Alexandrie. À sa mort en -323, son gigantesque empire est partagé entre ses plus fidèles compagnons d'armes. L'Égypte revient ainsi à un général macédonien, Ptolémée, dont on dit qu'il serait le fils naturel de Philippe II et donc le demi-frère d'Alexandre.

Or, Ptolémée est trop ambitieux pour se contenter de la simple fonction de *satrape* (gouverneur). Il rêve d'être couronné roi d'Égypte ! Après avoir annexé plusieurs territoires voisins, il parvient à ses fins, montant sur le trône égyptien en -305 sous le nom de Ptolémée Ier. Cet événement marque le début officiel du démembrement de l'empire constitué par Alexandre. Son père légitime se nommant Lagos, sa dynastie est appelée Lagide, d'où descend Cléopâtre.

Ptolémée Ier installe sa capitale à Alexandrie et lance la construction du célèbre phare, qui sera l'une des Sept Merveilles du monde antique, ainsi que de la mythique bibliothèque. Afin de ne pas heurter son nouveau peuple, Ptolémée le Grec reprend habilement les usages et attributs des pharaons : la double couronne, le costume de lin blanc et la tradition des mariages consanguins. À sa mort en -283, son fils Ptolémée II lui succède, accédant au rang de pharaon. Durant plus de deux siècles, ce sont des pharaons de culture grecque qui vont régner sur l'Égypte.

Malgré leur volonté d'implanter dans le pays une synthèse des cultures grecque et égyptienne, les Ptolémée n'auront jamais appris à parler la langue de leurs sujets. Cléopâtre sera la première à réellement la maîtriser. L'aventure des pharaons grecs en Égypte s'achèvera en 30 avant J.-C., avec la conquête romaine.

Après Cléopâtre, l'Égypte devient une simple province romaine, ainsi que le principal grenier à blé de Rome. Les colonisateurs se succéderont alors sur la terre antique des pharaons. Rattachée à l'Empire romain d'Orient, l'Égypte deviendra byzantine, avant d'être conquise par les Arabes en 642 et de connaître bien d'autres occupants.

5.

Pourquoi Octave et l'empereur Auguste sont-ils une seule et même personne ?

Le premier empereur romain de l'histoire est connu sous deux noms distincts : Octave et Auguste (et même trois puisque Octave devient Octavien après son adoption par César). Quelle en est la raison ?

Octave est le petit-neveu de César. Remarquant son intelligence, le dictateur s'occupe de son éducation et l'adopte officiellement en 45 avant J.-C. Après l'assassinat de son père adoptif, Octave prend part aux intrigues opposant le Sénat à Marc Antoine, ancien lieutenant de César. Il s'y montre particulièrement habile : alors qu'il n'est âgé que de vingt ans et n'a encore rempli aucune magistrature, il parvient à se faire nommer consul, en août -43. Octave fomente ensuite une alliance avec Marc Antoine et Lépide, et parvient ainsi, lors de la bataille de Philippes en -42, à éliminer Brutus et Cassius, responsables de la mort de César. Ce triumvirat se partage dès lors l'Empire romain : l'Orient pour Marc Antoine, l'Afrique pour Lépide et l'Ouest pour Octave.

Bien que Marc Antoine ait épousé Octavie, la sœur d'Octave, une lutte pour le pouvoir suprême oppose bientôt les deux hommes. Après l'éviction de Lépide, la rupture entre Marc Antoine et Octave est consommée en -32. Accusé par Octave d'avoir trahi Rome au profit de l'Égypte en devenant l'amant de la reine Cléopâtre, Marc Antoine est désigné auprès du peuple romain comme l'homme à abattre. Durant l'été -31, la bataille navale d'Actium voit la flotte d'Octave battre celle de Marc Antoine et Cléopâtre, ouvrant la voie à la conquête de l'Égypte. Refusant cette humiliation, les deux amants préfèrent se donner la mort l'année suivante.

En -29, Octave fait un retour triomphal à Rome. De son père adoptif, il a déjà reçu les noms de César et *imperator*. Il sera désormais nommé consul chaque année. À partir de -28, il est même considéré officiellement comme *princeps senatus* (premier sénateur). Lui qui possède déjà l'*imperium* – c'est-à-dire le pouvoir militaire hors de Rome et le pouvoir civil à Rome – se fait attribuer la *puissance tribunicienne* à vie. Normalement réservé aux tribuns de la plèbe, ce titre confère à la personne qui le porte un caractère sacré et inviolable, et lui octroie le droit de casser les décisions rendues par un magistrat.

Enfin, quand son vieux rival Lépide meurt, Auguste est élu *grand pontife*, devenant ainsi le chef de la religion. À sa mort, il sera même divinisé. De facto, la République romaine s'est transformée en monarchie. En reconnaissance pour avoir ramené la paix civile, le Sénat lui accorde en -27 le titre d'*Augustus*, signifiant « celui qui agit sous de bons auspices ». Habituellement réservée aux divinités, cette distinction va progressivement permettre à Octave de cumuler à vie l'ensemble des pouvoirs politiques, militaires et religieux.

Après Octave, tous les empereurs romains porteront le titre d'Auguste. Sous son règne, un autre nom propre deviendra commun : celui de Mécène, un riche protecteur des artistes qui encourageait l'épanouissement de la culture latine. Rappelons enfin que c'est sous Auguste que naît, dans une étable de Bethléem, un certain Jésus.

6.

Pourquoi Jésus n'est-il pas né en l'an O ?

On fixe traditionnellement le début de l'ère chrétienne à la naissance du Christ. C'est un repère (communément) admis qui permet de situer chronologiquement chaque événement historique – avant ou après « J.-C. ». Or, aussi absurde que cela puisse paraître, ce repère est erroné !

Jadis, on avait pour habitude de compter les années à partir de l'intronisation du souverain régnant – ce système perdure d'ailleurs encore au Japon. Durant l'Antiquité, les Romains avaient choisi pour année 0 la fondation de Rome. Mais avec la christianisation de l'Europe au VIe siècle, un moine nommé Denys le Petit propose de choisir pour nouveau point de départ la naissance de Jésus. Approuvé par l'Église en 532, ce système de datation sera adopté au fil des siècles en Occident. L'ennui, c'est que la biographie précise de Jésus est extrêmement difficile à établir et que, pour dater son année de naissance, notre moine décide alors de se baser sur des travaux aujourd'hui contestés par les historiens.

Ainsi, Denys le Petit fixe la naissance du Christ 753 ans après la fondation de Rome. Or, cinq siècles auparavant, l'historien Flavius Josèphe rapportait que le roi Hérode, gouverneur de Judée, était décédé en 750 après la fondation de Rome, ce qui fait trois ans avant la naissance de Jésus.

Et selon l'évangile de Matthieu, la mort d'Hérode serait postérieure à la naissance du Christ. On peut en déduire que Jésus aurait vu le jour au minimum trois ans plus tôt. Ce décalage fut pointé du doigt au début du XVIIe siècle par l'astronome allemand Kepler : après une étude minutieuse du calendrier des planètes, ce dernier affirmait que Jésus était né en -6 ou -7. Aujourd'hui, les historiens fixent cette naissance dans une fourchette allant de -2 à -9. Quoi qu'il en soit, Jésus Christ n'est donc pas né en l'an 0.

Si cette erreur était mieux connue, nous n'aurions sans doute pas été des millions à craindre la fameuse prophétie des Mayas… Pour la simple raison que le 21 décembre 2012, ce jour tant redouté de la soi-disant fin du monde, était en réalité dépassé depuis plusieurs années !

Mais si Jésus n'est pas né en l'an 0, a-t-il au moins vu le jour un 25 décembre ? Là encore, il est impossible de l'affirmer. D'abord, parce que la Bible ne mentionne aucune date précise. Ensuite, parce que saint Luc affirme que durant la nuit de la naissance du Christ, les bergers gardaient leurs troupeaux dans les champs, ce qui n'était jamais le cas à cette époque de l'année. Ce n'est d'ailleurs qu'au IVe siècle que l'Église a fixé la naissance de Jésus au 25 décembre afin de faire coïncider la célébration de la Nativité avec le solstice d'hiver, fêté par les païens.

7.
Pourquoi Attila était-il surnommé le « fléau de Dieu » ?

Ceux qui voyagent en Hongrie constatent vite que le prénom d'Attila y est très répandu. Cela peut surprendre, tant chez nous le roi des Huns incarne la barbarie et le mal absolu. Depuis plus de quinze siècles, son nom reste d'ailleurs associé à une terrible expression : « le fléau de Dieu ». Quelle en est l'origine ?

Les Huns sont des cavaliers nomades, originaires des steppes asiatiques. À la fin du IVe siècle, ils s'installent dans la région du Danube, en Pannonie (actuelle Hongrie), poussant les Germains à émigrer vers l'ouest, dans l'Empire romain. Réputés invincibles, ils vivent de razzias. Les empereurs romains les emploient comme mercenaires, leur versant régulièrement un tribut afin qu'ils n'envahissent pas l'Empire. Fils du prince Moundzouk, Attila devient roi des Huns en 434. Il partage alors le trône avec son frère Bleda, qu'il fait assassiner dix ans plus tard afin de régner sans partage.

Bientôt, Attila entre en conflit avec l'empereur Valentinien III, qui refuse de lui payer de nouveaux tributs. Convoitant les richesses de l'Empire romain en déclin, le chef des Huns mobilise en 451 la plus grande armée qu'on ait jamais vue à l'époque et franchit le Rhin. Après avoir détruit Metz et Orléans, Attila et ses alliés germaniques sont cependant vaincus lors de la bataille des Champs catalauniques. Menée par le général Aetius, ancien compagnon d'armes d'Attila, une vaste coalition gallo-romaine et wisigothe les force à rebrousser chemin. Après de terribles raids en Italie l'année suivante, Attila retourne en Pannonie, enrichi d'un considérable butin de guerre. Sa mort survient en 453 dans des conditions très mystérieuses, lors de sa nuit de noces. Elle va précipiter celle de son peuple en quelques années. Et les Huns disparaissent de l'Histoire aussi brutalement qu'ils y étaient entrés.

Inventé au cours des siècles suivants, le surnom de « fléau de Dieu » est largement postérieur à l'épopée d'Attila. Impressionnés par sa violence destructrice, les chroniqueurs religieux y voient un châtiment divin, destiné à punir les hommes de leurs péchés et à les ramener vers Dieu. Si l'on en croit les légendes populaires, influencées par le prosélytisme chrétien, seuls les plus miséricordieux auraient ainsi été épargnés : le pape Léon Ier qui convainc Attila de ne pas envahir Rome, sainte Geneviève qui sauve Paris du pillage, ou encore l'évêque saint Loup qui protège héroïquement Troyes.

Au VIIe siècle, soit presque deux cents ans après la mort d'Attila, Isidore de Séville en parle comme de la « verge de la colère de Dieu ». D'autres évoquent « le fouet de Dieu ». Il faut attendre le XIXe siècle pour qu'apparaisse l'expression française « fléau de Dieu ». Contrairement à ce que l'on croit souvent, le mot *fléau* n'est pas à prendre au sens de « calamité », mais dans sa première acception, c'est-à-dire en référence à l'outil qui ressemble à un *fouet* et servait autrefois à battre les céréales pour en extraire les grains.

8.

Pourquoi Clovis s'est-il fait baptiser ?

Nous ne connaissons pas la date exacte du baptême de Clovis. Après avoir longtemps avancé l'année 496, les historiens optent aujourd'hui pour 498. Cet événement est en tout cas considéré comme l'acte fondateur de la monarchie française. C'est à la mémoire de Clovis que tous les rois de France (ou presque) seront sacrés à Reims avec la « sainte ampoule ». Quelles sont les raisons de sa conversion ?

Clovis est le fils du roi des Francs Childéric, maître du nord de la Gaule depuis la chute de l'Empire romain d'Occident. Il succède à son père en 481, à l'âge de seize ans. Cinq ans plus tard, il bat le dernier « roi des Romains », Syagrius, à Soissons. Les Francs règnent alors sur tout le nord de la Loire, tandis que le sud est contrôlé par les puissants Wisigoths. Convertis à l'*arianisme*, une hérésie chrétienne, ces derniers persécutent les Gallo-romains demeurés chrétiens. Quant aux Francs, ils ne sont ni chrétiens ni ariens, mais païens, c'est-à-dire polythéistes.

En 492, Clovis épouse une princesse burgonde chrétienne, Clotilde, qui cherche aussitôt à le convertir. Selon la légende, lors de la bataille de Tolbiac qui oppose les Francs aux Alamans en 496, la situation devient tellement désespérée que Clovis implore l'aide du « dieu de Clotilde » : il promet de se convertir au christianisme si son peuple obtient la victoire. Aussitôt ce vœu formulé, le roi des Alamans est tué d'un coup de hache sur le champ de bataille, ce qui a pour effet de désorganiser son armée et d'offrir la victoire aux Francs, pourtant en nombre inférieur. Fidèle à sa parole, Clovis se fait alors baptiser le jour de Noël avec trois mille de ses soldats. L'évêque de Reims lui aurait dit : « *Courbe la tête, fier Sicambre. Adore ce que tu as brûlé et brûle ce que tu as adoré.* » Et à la fin de la cérémonie, une colombe aurait miraculeusement apporté un flacon d'huile, relique qui servira plus tard au sacre des rois de France sous le nom de *sainte ampoule*.

Que la conversion de Clovis ait été sincère ou non, force est de constater qu'elle comportait un certain nombre d'avantages politiques. En premier lieu, elle procure aux Francs le soutien de l'Église et permet à la majorité de la population gallo-romaine christianisée, notamment aux élites urbaines, de considérer Clovis comme un protecteur. Une confiance qui va permettre d'achever la conquête du sud de la Gaule, contrôlé par les Wisigoths. Soutenue en outre par l'Empire romain d'Orient, qui a pour religion officielle le christianisme, cette conquête aura pris des allures de croisade. La conversion a ainsi transformé un simple chef militaire (souvenons-nous du « vase de Soissons ») en un roi élu de Dieu, au pouvoir sacré et permanent !

Précisons que le premier roi barbare qui devint chrétien léguera son nom à neuf rois de France, « Louis » étant dérivé de « Clovis ».

9.

Pourquoi Jérusalem est-elle une ville sainte de l'Islam ?

Perchée à plus de 700 mètres d'altitude, dans les montagnes de Judée, à l'ouest du Jourdain, Jérusalem est surnommée la ville « trois fois sainte », c'est-à-dire sacrée pour les trois grandes religions monothéistes. Pour le judaïsme d'abord, puisqu'au xe siècle avant J.-C., David la choisit comme capitale du royaume d'Israël tandis que son fils, Salomon, y fit construire le Grand Temple de la religion juive. Celui-ci sera détruit à deux reprises : par les Babyloniens, puis par les Romains. Il ne reste de l'enceinte que ses fondations, dont le fameux « Mur des Lamentations ». Jérusalem est également une ville sainte du christianisme, haut lieu de pèlerinage, puisqu'elle abrite le tombeau de Jésus, crucifié sur le mont Golgotha. De plus, c'est dans cette ville que s'est accompli le parcours du Christ : il y réalise des miracles, y prend son dernier repas et y apparaît à ses disciples lors de sa résurrection. Quelques siècles plus tard, la ville devient également une ville sainte de l'islam. Pourquoi ?

L'islam a trois villes saintes. La première est bien évidemment La Mecque, vers laquelle les musulmans du monde entier doivent se tourner lors de leurs prières rituelles quotidiennes. Abritant les sanctuaires de l'islam, elle est le lieu du grand pèlerinage que tout musulman se doit d'effectuer une fois dans sa vie. La seconde ville sainte de l'islam est Médine où Mahomet a vécu les dix dernières années de sa vie et où il a fondé le premier État musulman. Si Jérusalem est la troisième ville sainte de la religion musulmane, c'est pour plusieurs raisons. D'abord parce que l'islam, religion monothéiste, reconnaît comme prophètes les principaux fondateurs du judaïsme (Abraham, Moïse) et du christianisme (Jésus) et vénère donc les sites se rapportant à leur vie, comme Jérusalem dont le nom en arabe signifie littéralement : « le sanctuaire » ou « le temple du sanctuaire ». Jusqu'en 624, la prière rituelle se faisait d'ailleurs en direction de Jérusalem et non de La Mecque.

D'autre part, selon le Coran, vers 620, Mahomet aurait vécu une expérience mystique appelée « voyage nocturne » qui l'aurait conduit à Jérusalem, où aurait eu lieu son ascension aux cieux, en compagnie de l'ange Gabriel. En 636, Jérusalem est conquise par le calife Omar. Bien que la ville n'ait joué qu'un rôle religieux mineur dans l'Empire musulman, les califes de la dynastie omeyyade ont pris grand soin de l'embellir. On leur doit ainsi la construction du Dôme du Rocher (faussement appelé « mosquée d'Omar » alors qu'il n'est pas une mosquée), reconnaissable par son dôme doré, ainsi que la mosquée al-Aqsa (« le plus éloigné ») bâtie sur l'esplanade de l'ancien temple de Salomon. Ces deux monuments sont des lieux de pèlerinage très importants pour les musulmans et confèrent à Jérusalem le rôle de ville sainte de l'islam.

10.

Pourquoi les successeurs de Dagobert ont-ils été surnommés les « rois fainéants » ?

Après Clovis, Dagobert est le roi mérovingien le plus célèbre. Le grand public le connaît grâce à la chanson du XVIIIe siècle, *Le bon roi Dagobert*. Mais pour les amateurs d'Histoire, il reste surtout le dernier grand roi mérovingien. Si l'on ne retient guère les noms de ses successeurs, on connaît la drôle d'expression qui les réunit : « Les rois fainéants ». Pourquoi un tel sobriquet ?

À la mort de Dagobert Ier en 639, le royaume franc est soumis à une forte instabilité politique, causée par la rivalité croissante entre les sous-royaumes de Neustrie (autour de Paris) et d'Austrasie (autour de Metz). On assiste alors au déclin progressif des rois mérovingiens, souvent trop jeunes et inexpérimentés, au profit des « maires du palais », sortes d'intendants royaux. Cette fonction devient rapidement une charge héréditaire aux multiples prérogatives : commandement de l'armée, gouvernement de l'administration, éducation des rois en bas âge. Le premier à tenter de s'imposer est Ébroïn, maire du palais de Neustrie, mais il est assassiné en 681. En 687, venu de Neustrie, Pépin de Herstal réussit à devenir maire des deux palais. Si les rois mérovingiens restent en place, il s'affirme comme le maître incontesté du royaume, portant le titre de prince jusqu'à sa mort en 714.

Son successeur n'est autre que son fils illégitime, le célèbre Charles Martel. Après avoir soumis la Thuringe et la Bavière, ce dernier stoppe en 732 l'invasion arabo-musulmane, lors de la bataille de Poitiers. C'est à cette occasion que le surnom « Martel » (marteau) lui est donné, en référence à ses prouesses durant l'affrontement.

Lorsque le roi mérovingien Thierry IV meurt en 737, Charles Martel prend soin de laisser le trône de France vacant afin d'habituer le peuple à l'oubli des Mérovingiens. Lorsque lui-même décède quatre ans plus tard, il est enseveli dans la basilique de Saint-Denis, comme les rois de France. Son fils et successeur, Pépin le Bref, concède le trône au Mérovingien Childéric III en 743, mais décide finalement de le déposer en 751. Avec l'aval du pape Zacharie, il se fait sacrer roi de France. C'est la fin de la dynastie mérovingienne, descendante de Clovis, et le début du règne carolingien, du nom du fils de Pépin : Charlemagne. Celui-ci va entreprendre un renouveau du royaume franc, jusqu'à s'en faire couronner empereur.

Les chroniqueurs carolingiens louèrent cette nouvelle dynastie au détriment des derniers Mérovingiens, qu'ils surnommèrent les « rois fainéants » et que les historiens de la IIIe République se plurent à représenter se prélassant, confortablement installés sur des chars à bœufs.

11.

Pourquoi des Vikings se sont-ils installés en Normandie ?

Si la Normandie est l'une des régions françaises où l'on rencontre le plus de blonds aux yeux bleus, ce n'est nullement un hasard. Il y a plus de mille ans, cette région fut cédée à des Vikings, dont beaucoup de Normands descendent en partie aujourd'hui. Pourquoi cette implantation scandinave ?

La mort de Charlemagne en 814 ébranle l'empire carolingien. Profitant de l'instabilité politique, de redoutables guerriers païens venus de Scandinavie multiplient les incursions en France. Également appelés *Nortmanni* en langue germanique de l'époque, les Vikings disposent de longs bateaux à voile carrée, les *drakkars*, grâce auxquels ils peuvent traverser les mers et remonter les fleuves. C'est ainsi qu'ils se servent de la Seine pour mener de terribles raids sur Paris. Afin de protéger la capitale, les rois de France font installer de véritables ponts fortifiés. Mais ceux-ci sont rapidement brisés par les Vikings. En quelques décennies, les souverains français ont perdu toute autorité sur la basse vallée de la Seine, actuelle Haute-Normandie.

Comprenant qu'il ne parviendra pas à repousser les envahisseurs par la force, le roi Charles III va alors opter pour une nouvelle stratégie. En 911, il vient de vaincre une armée viking à Chartres. C'est donc en position de force qu'il décide de rencontrer à Saint-Clair-sur-Epte (dans l'actuel Val-d'Oise) un chef normand d'origine danoise, jugé moins récalcitrant que les autres, un certain Rollon. La proposition du roi est simple : il consent à céder à Rollon la basse vallée de la Seine, si celui-ci accepte de se convertir au christianisme et de protéger le territoire contre les incursions de ses compatriotes. Rollon, qui a tout à gagner de cet accord, accepte le baptême et se fait proclamer comte de Rouen. Truculente anecdote (née un siècle plus tard sous la plume d'un chroniqueur normand) : Rollon refusant de baiser le pied du roi des Francs, l'un de ses guerriers aurait porté les royaux orteils à sa bouche sans s'incliner, faisant tomber le souverain à la renverse...

Dès lors, les Vikings de Rollon jouissent légalement d'un territoire correspondant à l'actuelle Haute-Normandie et d'une partie du Calvados, soit les évêchés de Rouen, Évreux et Lisieux. Treize ans plus tard, le comté s'agrandit du futur département de l'Orne, auquel s'ajoutent en 933 le Cotentin et les îles anglo-normandes. La Normandie est née. Et pour consolider leur implantation dans le comté, les Normands font venir de nombreux colons issus de Scandinavie, qui adoptent très vite la religion, les coutumes et la langue de leur terre d'accueil.

Transformée en duché en 911, la Normandie sera rattachée au royaume de France en 1204.

12.

Pourquoi les premiers rois de France faisaient-ils couronner leur héritier de leur vivant ?

Durant plus de deux siècles, les Capétiens ont fait sacrer leur fils aîné au cours de leur propre règne. Une pratique bien curieuse, puisque deux rois ne peuvent régner en même temps, fussent-ils père et fils. Toute la subtilité de la question réside dans la différence entre sacre et intronisation.

Le 1er juillet 987, excédés par l'incompétence des derniers héritiers de Charlemagne, les grands seigneurs confient le royaume au meilleur d'entre eux, le comte de Paris, Hugues Capet. Sitôt roi de France, ce dernier est déjà résolu à transmettre la précieuse couronne à son fils aîné, Robert. Cependant, il sait que ses pairs ne sont pas prêts à accepter une proclamation aussi flagrante de l'hérédité monarchique. Le nouveau roi va alors employer un subterfuge : quelques mois seulement après son sacre à Noyon, il annonce la nécessité d'une intervention militaire à Barcelone, menacée par les Musulmans et, dans le même temps, par principe de précaution, il propose d'associer au trône son fils Robert. L'arrangement présente deux avantages : le père régnant préparera soigneusement son fils aîné à ses futures responsabilités et à la mort du souverain, Robert pourra se maintenir au pouvoir sans demander l'accord des Grands, préservant le royaume d'une guerre de succession.

D'abord hostile à cette solution, Adalbéron, l'archevêque de Reims, se laisse finalement convaincre, de même que les barons qui n'y trouvent rien à redire. Le 25 décembre 987, Robert le Pieux est sacré à Orléans. Neuf ans plus tard, il devient roi à la mort de son père, en 996, et associe à son tour son fils aîné à la couronne de France. Ce principe d'association va se perpétuer jusqu'à Philippe Auguste. Le royaume de France aura alors deux rois. Le roi en titre est le *rex coronatus* (le roi couronné), tandis que son successeur désigné est nommé *rex designatus* (le roi désigné pour régner).

Deux siècles plus tard, la dynastie capétienne ayant assuré sa domination politique, Philippe Auguste décide de ne pas faire sacrer son fils aîné, le futur roi Louis VIII, avant sa mort, en 1223 : en France, la couronne se transmettra dès lors de père en fils. Plutôt exceptionnel jusqu'à la fin du Moyen Âge, ce principe monarchique de succession héréditaire deviendra la norme en Europe aux XVIIIe et XIXe siècles.

13.

Pourquoi Paris est-elle la capitale de la France ?

Sous l'Empire romain, la capitale de la Gaule n'était pas Paris (Lutèce), mais Lyon (Lugdunum). C'est dans cette ville beaucoup plus peuplée que se réunissait chaque année le conseil des Gaules, formé de soixante chefs de tribu.

Pourtant, lors de la conquête de la Gaule par les Francs, à la fin du Ve siècle, Clovis choisit de faire de Paris la capitale de son royaume. Pour ces envahisseurs venus du nord, le site est stratégique, puisqu'il se situe à mi-chemin entre leur terre d'origine et les territoires conquis au sud. Cependant, après la mort de Clovis, l'influence de la ville décline. À la suite des invasions normandes, au IXe siècle, les Carolingiens iront même jusqu'à l'abandonner tout à fait !

Il faudra attendre 987 et l'élection d'Hugues Capet au trône de France pour voir le nouveau roi fixer sa capitale à Paris, sur l'île de la Cité, dans son fief familial. À cette époque, la cour est itinérante et le roi se déplace constamment dans l'ensemble du bassin parisien. Si ses successeurs séjournent de plus en plus souvent à Paris, confortant son rôle de capitale politique, c'est l'activité marchande qui va donner un essor considérable à la ville. Le commerce fluvial en particulier, grâce à la Seine, fait de Paris un point de passage obligé entre le nord et le sud de l'Europe.

En 1194, une défaite va paradoxalement renforcer le statut de la capitale. Lors de la bataille de Fréteval, près de Blois, Philippe Auguste est battu par Richard Cœur de Lion. Dans la précipitation, les Français oublient sur place les archives royales, que le souverain anglais s'empresse aussitôt de détruire. Pour éviter la répétition d'un tel désastre, le roi de France décide que ses archives seront dorénavant conservées à Paris, dans le palais de la Cité. Et pour assurer la protection de l'ensemble, une forteresse est érigée, qui un siècle plus tard deviendra le château du Louvre et sera consacrée comme la première grande résidence des rois de France.

Paris est dès lors officiellement la capitale politique du royaume. Si aux siècles suivants les rois de France s'établissent en Val-de-Loire puis à Versailles, Paris demeure le centre politique, économique et culturel du pays et s'imposera bientôt comme une mégapole européenne.

14.

Pourquoi le Royaume-Uni n'a-t-il pas de Constitution ?

La France détient le record mondial du nombre de Constitutions : quinze au total depuis 1791 ! Ce chiffre incroyable s'explique par une conception française du droit public qui nous oblige à définir et organiser chaque nouveau régime politique par un texte constitutionnel. La tradition est bien différente au Royaume-Uni : le plus ancien État de droit du monde ne possède pas de Constitution à proprement parler. Comment est-ce possible ?

Le Royaume-Uni est le dernier pays d'Europe à avoir conservé une Constitution *coutumière*, c'est-à-dire orale. Il s'agissait là d'un héritage des invasions angles, saxonnes et jutes des Ve et VIe siècles. Chez ces peuples germaniques, la source du droit était en effet orale et non écrite, contrairement à l'usage en vigueur dans l'Empire romain. À partir du Moyen Âge, une série de règles, traités et textes de loi furent rédigés, régissant l'organisation et le fonctionnement des institutions de l'Angleterre, selon une logique historique de réponses à divers problèmes au moment où ils surgissaient. Toutefois, ils n'ont jamais été codifiés dans un texte constitutionnel unique.

L'acte fondateur de ce corpus évolutif de lois est la *Grande Charte des libertés d'Angleterre* (*Magna Carta*), accordée par le roi Jean sans Terre le 15 juin 1215. Elle garantit les libertés individuelles et limite les prérogatives du roi au profit des barons et des villes. L'esprit de ce texte fondamental sera conservé au fil des siècles à travers la rédaction de plusieurs autres textes fondamentaux. Citons en premier lieu la *Pétition des droits* : promulguée en 1628 par Charles Ier, elle limite les pouvoirs du roi au profit du Parlement. Toujours au XVIIe siècle, l'*Habeas Corpus* de 1679 interdit toute détention arbitraire et garantit les droits des prisonniers. La *Déclaration des droits* (*Bill of Rights*) de 1689 marque quant à elle l'acte de naissance de la monarchie parlementaire – à une époque où toutes les autres monarchies européennes imposent l'absolutisme ! L'*Acte d'établissement* (*Act of Settlement*) de 1701 organise la succession en excluant les catholiques, ce qui permet à la maison de Hanovre l'accession au trône. Enfin, les *Actes du Parlement* (*Parliament Acts*) de 1911 et 1949 limitent le droit de veto de la Chambre des lords au profit de la Chambre des communes. C'est l'amoncellement de toutes ces grandes lois, rédigées à travers les siècles, qui définit les institutions britanniques.

Si le Royaume-Uni ne dispose pas à proprement parler d'une Constitution, c'est l'esprit de sa Grande Charte de 1215 qu'on retrouve dans la Constitution américaine et la Déclaration universelle des droits de l'homme.

15.

Pourquoi Saint Louis a-t-il été canonisé ?

Saint Louis est sans doute le plus célèbre roi français du Moyen Âge. Tellement illustre qu'on en oublie parfois le nom sous lequel il a régné : Louis IX. Canonisé après sa mort, il était déjà considéré de son vivant comme un saint homme par une partie de son peuple. Pour quelles raisons ?

Pour que Rome accorde une canonisation officielle, il faut pouvoir attester de miracles. Or, près de 330 témoins feront état de guérisons miraculeuses, survenues durant la vie du roi de France ou après sa mort. Et la papauté en retiendra une soixantaine. Mais c'est surtout sa conduite personnelle qui a valu au souverain d'être reconnu comme un saint. Premier roi de France à avoir connu son grand-père (Philippe Auguste), Saint Louis est élevé par sa mère, la pieuse Blanche de Castille, dans la hantise du péché mortel. Dès son avènement, à l'âge de douze ans, il montre une réelle et profonde piété. Aspirant à devenir un chrétien idéal, il se rapproche des ordres mendiants dominicains et franciscains. Il pratique jeûne et abstinence, et ne boit pas de vin pur. Pour se mortifier, il porte un vêtement de crin à même la peau et se fait flageller chaque vendredi en souvenir de la mort du Christ !

D'autre part, Louis IX sera l'un des seuls rois de France à demeurer entièrement fidèle à son épouse, Marguerite de Provence. Il crée la Sainte-Chapelle, chef-d'œuvre de l'art gothique, pour abriter les reliques de la Passion du Christ, achetées à prix d'or : la couronne d'épines, un morceau de la croix et un clou de la crucifixion. Humble et charitable envers les pauvres et les malades, le roi les invite parfois à sa table et leur lave les pieds, à l'instar du Christ ! Pour soigner les aveugles, il fonde à Paris l'hospice des Quinze-Vingts, encore en activité aujourd'hui. Soucieux de justice, il se veut le garant d'un traitement équitable pour tous les sujets du royaume. Il permet ainsi à ceux qui s'estiment injustement lésés par une décision de justice seigneuriale de faire appel à la justice royale, réforme qui aboutira à la cour d'appel. Il envoie également des enquêteurs sévir contre les abus de ses représentants locaux (baillis et sénéchaux) et crée une commission financière destinée à lutter contre les détournements de fonds, future Cour des comptes. Enfin, il participe à deux reprises aux croisades et mourra de la dysenterie devant Tunis.

Contrairement à ce que l'on croit, la mort du *croisé* Louis IX n'a pas pesé sur la décision de sa canonisation, la qualification de martyr n'ayant pas été retenue. En fait, elle répond à des motifs politiques : pour asseoir sa légitimité, la dynastie capétienne avait besoin d'un saint qui puisse servir de modèle à l'ensemble de la chrétienté. Avant lui, d'autres souverains avaient été canonisés : Charlemagne, Étienne Ier de Hongrie ou Olaf de Norvège. Cependant, la bulle pontificale consacrant Saint Louis ne sera émise que trente ans après sa mort, en 1297, sous Boniface VIII. Ce pape avait connu personnellement Louis IX et souhaitait améliorer ses relations avec son petit-fils, Philippe le Bel.

16.

Pourquoi la ville d'Avignon a-t-elle été la résidence des Papes ?

Si Avignon est aujourd'hui un haut lieu touristique, c'est en grande partie pour son prodigieux palais des Papes, le plus grand édifice gothique au monde avec une superficie de près de 15 000 m^2. Impossible d'ignorer que la ville dont on chanta le pont fut aussi la résidence des souverains pontifes. Mais une question s'impose : pourquoi ont-ils élu domicile ici plutôt qu'à Rome, la ville sainte ?

Nous sommes en 1304. Après le très bref pontificat de Benoît XI, un conclave se réunit à Rome pour une nouvelle élection, marquée par une farouche opposition entre deux clans : les partisans d'un rapprochement avec le très puissant roi de France, Philippe le Bel, menés par la famille Colonna, et ceux qui s'y opposent, conduits par les Caetani. Après presque un an de tractations, les deux partis parviennent à un compromis en élisant Bertrand de Got, un diplomate éminent resté neutre durant la querelle, qui devient le deuxième pape français de l'Histoire sous le nom de Clément V. Or celui-ci renonce en 1305 à s'installer à Rome, sachant la ville en proie à une guerre violente entre deux factions rivales, les Guelfes et les Gibelins.

Si Clément V choisit de résider en France, c'est aussi pour régler le contentieux opposant le royaume à la papauté à propos de la prééminence du pouvoir spirituel sur le temporel (aggravé par une tentative d'intimidation du pape Boniface VIII en 1303, le fameux « attentat d'Agnani ») et pour préparer le procès des Templiers. Ce choix le mène naturellement en Provence, région pacifiée de longue date, et le conduit à s'installer dans un premier temps dans le couvent des dominicains d'Avignon, une ville qui jouxte le comtat Venaissin, propriété de l'Église depuis un siècle. Le pape y résidera jusqu'à sa mort en 1314. Son successeur, le Français Jean XXII, fait de la ville son siège épiscopal. Le suivant, Benoît XII, entame la construction d'un nouveau palais, le *Palais Vieux*. Quant à Clément VI, élu en 1342, il fait bâtir le *Palais Neuf*, futur palais des Papes, qu'il décore de nombreuses et prestigieuses œuvres d'art.

En tout, sept papes se succéderont en Avignon jusqu'en 1377, année où Grégoire XI se réinstalle à Rome, à la demande expresse de Catherine de Sienne : « *Je vous prie, par l'amour de Jésus crucifié, d'aller le plus vite que vous pourrez prendre la place des glorieux apôtres Pierre et Paul.* » Mais ce retour à Rome portera un coup à l'Église, qui connaîtra bientôt l'une des plus graves crises qu'elle ait jamais connue : le Grand Schisme d'Occident.

17.

Pourquoi Philippe le Bel a-t-il fait arrêter les Templiers ?

Le vendredi 13 octobre 1307 au matin, les membres de l'ordre du Temple, soit plusieurs milliers de personnes, sont simultanément arrêtés dans tout le royaume de France. Conduite dans le secret le plus total, cette gigantesque opération a été ordonnée par le roi de France Philippe IV le Bel et dirigée par son conseiller Guillaume de Nogaret. L'ordre est aussitôt dissous, de nombreux templiers sont condamnés à mort, dont le grand maître Jacques de Molay. Pourquoi le roi de France a-t-il pris cette décision ?

Les Templiers appartiennent à un ordre de moines soldats, créé par le concile de Troyes en 1128. À la suite de la première croisade, le but est de garder les lieux saints de Palestine et de protéger les pèlerins se rendant à Jérusalem. Le prestige des Templiers est immense en Terre sainte, où ils disposent d'une armée permanente et opérationnelle, bien supérieure à celles des autres rois de la chrétienté. D'autre part, l'ordre a bénéficié de colossales donations, qu'il a su magnifiquement faire fructifier. Il s'est ainsi transformé en l'une des premières places financières d'Europe, gérant la fortune des rois d'Occident. En moins de deux siècles, il a acquis la puissance et la richesse d'un véritable royaume !

Cependant, au milieu du XIIIe siècle, les dernières places fortes croisées tombent définitivement aux mains des musulmans. Chassés de Palestine, les Templiers s'installent dans leurs différents domaines, notamment en France. Demeurée intacte, leur puissance financière et militaire inquiète d'autant plus Philippe le Bel que l'ordre semble avoir complètement perdu de vue la reconquête de la Terre sainte, projet auquel le roi de France est très attaché. Lors de la septième croisade, les Templiers ont même refusé de contribuer au paiement de la rançon de Saint Louis – grand-père de Philippe le Bel – retenu prisonnier. Les Templiers ne prenant leurs ordres que du pape, le roi craint qu'une alliance ne s'établisse au détriment de sa propre autorité. Aussi, pour que le pape consente à l'arrestation des Templiers, le roi de France va-t-il accuser l'ordre de pratiques hérétiques.

Interrogés par les commissaires royaux et les inquisiteurs, de nombreux templiers avouent sous la torture avoir renié le Christ, craché sur la croix ou pratiqué la sodomie. Beaucoup se rétracteront, ce qui leur vaudra d'être condamnés au bûcher. Le procès des Templiers ne fut donc pas orchestré à la seule fin de mettre la main sur leur considérable trésor – qui n'a d'ailleurs jamais été retrouvé. Il faut surtout y voir la volonté du roi de France de continuer à s'affranchir de la tutelle de l'Église. En 1312, le roi obtiendra d'ailleurs du pape Clément V la dissolution officielle de l'ordre du Temple, fait rarissime dans l'histoire de l'Église. Le dernier acte du procès a lieu deux ans plus tard, avec la condamnation au bûcher du grand maître des Templiers, Jacques de Molay. Selon une légende, popularisée par Maurice Druon dans *Les Rois maudits*, il aurait, avant de mourir, lancé une malédiction à l'adresse du roi et du pape – qui disparaîtront effectivement l'un et l'autre avant la fin de l'année 1314.

18.

Pourquoi les femmes ont-elles été exclues de la couronne de France ?

S'il y a eu des reines d'Angleterre, d'Écosse, de Suède, du Danemark, des Pays-Bas, d'Espagne, et même des tsarines, aucune femme n'a jamais régné seule sur la France, en dehors des périodes de régence. Pourquoi ?

En 987, lorsque Hugues Capet accède au trône de France, le système héréditaire se met progressivement en place (voir *Pourquoi les premiers rois de France faisaient-ils couronner leur héritier de leur vivant ?*). Il est alors admis, comme dans les autres monarchies, qu'à la mort du roi, la couronne revient en priorité à son fils aîné. Mais, dans le cas où le défunt n'a eu que des filles, rien n'implique formellement que celles-ci soient exclues du trône. Pendant plus de trois siècles, l'absence d'héritier masculin direct ne s'est jamais posée. Les descendants d'Hugues Capet ont toujours produit des fils pour leur succéder, c'est pourquoi on parle de « miracle capétien ».

Cependant, le 5 juin 1316, Louis X le Hutin, fils aîné de Philippe le Bel, meurt en ne laissant qu'une fille, Jeanne. Mais son épouse, Clémence de Hongrie, est à nouveau enceinte. En attendant la naissance de l'enfant, c'est le frère cadet du roi défunt, Philippe, qui assure la régence. Le 14 novembre 1316, naît l'enfant posthume de Louis X, un garçon, mais il meurt cinq jours plus tard. Dès lors se pose pour la première fois le problème de la succession. Jeanne, la fille aînée de Louis, peut légitimement prétendre au trône, d'autant qu'elle bénéficie du soutien de plusieurs princes. Sauf que le régent Philippe ne l'entend pas ainsi ! Il réunit les états généraux : ces derniers décrètent que les femmes sont inaptes à régner et lui offrent le trône. Philippe se fait sacrer le 9 janvier 1317 sous le nom de Philippe V, empêchant définitivement Jeanne de monter sur le trône.

Lorsque Philippe meurt à son tour sans héritier mâle en 1322, c'est son frère Charles IV qui lui succède, selon la jurisprudence établie six ans plus tôt. Mais il meurt lui aussi sans héritier en 1328. Et comme il n'a plus de frères, c'est aux grands seigneurs du royaume, réunis à Vincennes, de choisir le nouveau souverain. Les principaux prétendants sont Philippe de Valois (petit-fils de Philippe III par son père) et le roi d'Angleterre, Édouard III (petit-fils de Philippe le Bel par sa mère). Si les deux candidats ont des droits à peu près équivalents, les barons préfèrent donner la couronne à Philippe de Valois, qui a l'avantage de ne pas être anglais. Quelques années plus tard, en 1337, Édouard III revendiquera ses droits sur la couronne, déclenchant du même coup la guerre de Cent Ans.

C'est au cours de cette guerre que, pour justifier l'éviction d'Édouard III, les juristes français exhumeront une loi datant de Clovis et qui empêche les femmes non seulement de monter sur le trône de France, mais également de transmettre la couronne. Héritage d'un ancien code privé germanique, cette loi dite *salique*, qui fixe le principe de primogéniture masculine, devient alors une loi fondamentale de la monarchie française.

19.
Pourquoi l'héritier au trône de France était-il appelé le Dauphin ?

Dans le langage courant, le terme « dauphin » est aujourd'hui employé pour qualifier tout successeur désigné. L'usage de cette expression renvoie évidemment au titre porté par les héritiers du trône de France, dont le plus célèbre fut sans doute le *Grand Dauphin*, fils aîné de Louis XIV. Mais quelle est précisément l'origine de ce terme ?

Le titre de « dauphin » renvoie à la province du Dauphiné, qui correspond à peu près aujourd'hui aux départements de l'Isère, de la Drôme et des Hautes-Alpes. Notons par ailleurs que deux cétacés figurent bien sur les armoiries de ce comté montagneux et enclavé. Mais le terme de *Dauphin* renverrait aussi à un prénom peu courant, équivalent masculin de *Delphine*, qui fut porté par bon nombre des comtes de la province et qui était en usage au nord de l'Angleterre (*Dolphin*).

Au Moyen Âge, le Dauphiné est placé sous la suzeraineté du Saint Empire romain germanique et les comtes qui le gouvernent – appelés depuis le XIIe siècle « dauphins du Viennois » – doivent prêter hommage à l'Empereur. Or le comte du Dauphiné et seigneur du Viennois, Humbert II, n'a pas d'héritier. En 1349, ruiné, il propose de vendre le Dauphiné au roi de France Philippe VI, à la condition que le comté soit confié au fils aîné du roi, Jean (futur Jean II). Philippe VI accepte et l'accord est ratifié par le traité de Romans. Jean hérite alors du Dauphiné et, pour ne pas avoir à prêter hommage à l'Empereur, il le lègue à son fils, Charles (futur Charles V). Ce dernier devient donc le premier dauphin, mais son titre officiel est toujours « dauphin du Viennois ».

Le titre s'étoffe, deux siècles plus tard, sous le règne d'Henri II, lorsque son fils aîné (futur François II) épouse la reine d'Écosse, Marie Stuart. Pour éviter à l'héritier du trône l'humiliation d'être en même temps roi d'Écosse consort et simple dauphin du Viennois, on le déclare « dauphin de France », ce qui sied mieux à sa condition… Notons que le titre de dauphin était réservé au fils aîné du roi de France et ne pouvait être porté par les autres héritiers du trône. Ainsi, Louis XII, François Ier, Charles IX, Henri III, Henri IV, Louis XVIII ou Charles X n'ont jamais été dauphins. Le dernier dauphin fut le duc d'Angoulême, Louis-Antoine, fils de Charles X.

L'habitude de distinguer par un qualificatif l'héritier de la couronne fut inaugurée en 1301 par le roi d'Angleterre, Édouard Ier, qui conféra à son fils le titre de *prince de Galles*. Dans le Saint Empire romain germanique, le fils de l'empereur était *roi de Rome*. Le futur roi d'Espagne était nommé *prince des Asturies* et le futur roi belge, *duc de Brabant*. En France, le titre de duc était réservé aux familles princières : c'est pourquoi l'héritier des princes de Condé était dit *duc d'Enghien*.

20.

Pourquoi le roi Jean II le Bon est-il retourné se constituer prisonnier après avoir été libéré ?

Dans l'Histoire de France, seuls quatre souverains ont été faits prisonniers sur un champ de bataille : Saint Louis (le 8 février 1250 en Égypte), Jean II le Bon (le 19 septembre 1356 à Poitiers), François Ier (le 24 février 1525 à Pavie), Napoléon III (le 2 septembre 1870 à Sedan). Le deuxième cas est sans doute le plus particulier car, libéré après avoir été détenu quatre années à Londres, dont quelques mois dans la sinistre tour de Londres, le roi de France décida de revenir se placer entre les mains de ses geôliers. Pourquoi un tel sacrifice ?

Jean II dit « le Bon » n'est pas précisément réputé pour sa bienveillance, mais plutôt pour sa bravoure et son courage au combat. Ce qui ne l'empêche pas d'être capturé par les Anglais durant la bataille de Poitiers, au début de la guerre de Cent Ans, par le célèbre Prince Noir dont les effectifs étaient pourtant quatre fois inférieurs aux siens. D'abord retenu à Bordeaux, le roi de France est ensuite transféré à Londres, où il est d'abord traité avec tous les honneurs dévolus à son rang, tandis que son fils aîné Charles (le futur Charles V) prend la direction du royaume, à seulement dix-huit ans. Pour la libération de Jean II, les Anglais exigent une rançon exorbitante de 3 millions d'écus (ce qui équivaut à plusieurs années de recettes fiscales), ainsi que la restitution de nombreux territoires ayant appartenu précédemment aux Plantagenêt.

Après quatre années de négociations, entravées par différents conflits à l'intérieur du royaume qui manquent de peu d'anéantir la monarchie, le traité de Brétigny est finalement conclu, le 8 mai 1360. Le roi Jean II est immédiatement libéré mais, pour garantir le paiement de la rançon, son fils cadet, Louis, est gardé en otage. Lassé d'attendre sa libération, Louis d'Anjou parvient à s'échapper en octobre 1363 pour rejoindre sa femme, Marie de Blois.

Ce serait donc pour honorer sa dette que Jean II décida alors de retourner se constituer prisonnier à Londres, où il mourra le 8 avril 1364. Bien que le souverain ait justifié son attitude en déclarant « si la bonne foi était bannie de la terre, elle devrait trouver asile dans le cœur des rois », d'autres raisons moins nobles auraient motivé cet acte de panache. Le roi de France serait retourné à Londres pour négocier à la baisse la rançon due et toujours impayée. On l'a également soupçonné d'avoir voulu retrouver une belle Anglaise aux charmes irrésistibles ! Le cœur a parfois ses raisons...

Une chose est certaine, pour assurer le paiement de sa libération, Jean II décida de créer une nouvelle monnaie en or, garantie comme stable, et qui connaîtra par la suite une longue histoire : le franc.

21.

Pourquoi Christophe Colomb n'a-t-il pas découvert l'Amérique ?

1492. À la seule évocation de cette date, un nom nous vient immédiatement à l'esprit : Christophe Colomb. Et un événement : la découverte de l'Amérique. Cet épisode eut un impact considérable sur l'histoire de l'humanité, puisque les historiens considèrent qu'il marque le passage du Moyen Âge à l'époque moderne. Et cependant, Colomb n'a jamais découvert l'Amérique ! Comment est-ce possible ?

D'abord, en 1492, Christophe Colomb n'a pas conscience d'avoir débarqué sur un nouveau continent. Il croit simplement être arrivé aux Indes. D'autre part, lorsqu'il pénètre aux Bahamas, puis sur le continent américain, l'Amérique est déjà peuplée de plusieurs millions d'habitants. Ces Amérindiens sont les descendants des premiers découvreurs de l'Amérique : des peuplades asiatiques qui durant les glaciations ont traversé le détroit de Béring, en deux grandes vagues successives, et peuplé la totalité du continent américain du nord au sud.

D'aucuns répliqueront que Colomb reste néanmoins le premier Européen à avoir foulé le sol américain. Pas du tout ! Cinq siècles plus tôt, les Vikings avaient déjà franchi l'Atlantique. L'événement s'est produit en 982. Depuis près de cent ans, les Vikings ont colonisé l'Islande. L'un de leur chef, Erik le Rouge, est obligé de quitter l'île, car son père a commis un meurtre. Naviguant vers l'ouest, il découvre une île recouverte par les glaces mais offrant quelques prairies en littoral. Il décide de s'y installer. Pour attirer d'autres colons, il baptise cette île Groenland, c'est-à-dire *la terre verte*. Il charge son fils Leif Ericson de christianiser la colonie, avant de progresser davantage vers l'ouest. Avec une trentaine de marins, ce dernier atteint vers l'an 1000 une nouvelle terre, qu'il explore longuement et qu'il définit en trois noms : Helluland (*le pays des pierres plates*), Markland (*le pays des forêts*) et Vinland (*le pays de la vigne*). Sans le savoir, Leif Ericson vient de poser le pied à Terre-Neuve, dans l'actuel Canada !

Si la colonisation de Terre-Neuve par les Vikings fut éphémère, leur présence dans le Nouveau Monde est néanmoins attestée par de nombreuses preuves archéologiques indiscutables. Celles-ci font bien de Leif Ericson le premier Européen à avoir atteint l'Amérique. En 1964, les Américains ont d'ailleurs décidé de lui dédier la journée du 9 octobre. Enfin, précisons que certaines thèses attribuent à divers peuples la paternité de cette découverte : Grecs, Phéniciens, Romains, Égyptiens, Chinois, Polynésiens, et même des Européens de l'âge de pierre !

Aucune de ces thèses n'a pu être prouvée jusqu'à présent. Mais l'Histoire peut toujours nous réserver des surprises !

22.
Pourquoi le Brésil n'a-t-il pas été une colonie espagnole mais portugaise ?

En dehors des Guyanes française, anglaise et hollandaise, l'Amérique latine est hispanophone, du Mexique à la Terre de Feu. Seule exception, et de taille : le Brésil, ancienne colonie portugaise lusophone. D'où vient cette différence ?

Au XVᵉ siècle, le royaume du Portugal est à la pointe des expéditions maritimes. Après avoir découvert l'archipel des Açores, les navigateurs portugais fondent de nombreux comptoirs sur les côtes africaines. À la fin du siècle, ils sont en passe de contourner le continent africain pour atteindre les Indes. Or, en 1481, le Portugal obtient du pape la bulle *Aeterna regis*. Ce décret pontifical lui octroie toutes les terres à découvrir, à la condition expresse de les évangéliser. Mais onze ans plus tard, la « découverte de l'Amérique » par l'Espagnol Christophe Colomb change la donne.

En mai 1493, le pape Alexandre VI Borgia, lui aussi d'origine espagnole, annule la bulle de 1481 et la remplace par l'*Inter Caetera*, qui attribue à l'Espagne toutes les terres situées à l'ouest des Açores. Cette décision provoque la colère du roi du Portugal, Jean II. La guerre menace entre les deux royaumes. Finalement, un compromis est trouvé l'année suivante avec le traité de Tordesillas, approuvé par le pape : la ligne de partage se trouve déplacée en faveur des Portugais, à 370 lieues à l'ouest des îles du Cap-Vert. Personne ne sait alors que c'est dans cette zone que se trouve la pointe est du continent sud-américain, formant l'actuel Brésil.

En 1498, Vasco de Gama parvient à rejoindre les Indes en contournant l'Afrique. Son retour au Portugal prend des allures de triomphe. Le roi Manuel Ier lance alors une nouvelle expédition destinée à trouver un meilleur itinéraire. Il la confie à un jeune navigateur, Pedro Álvares Cabral. C'est ainsi que le 22 avril 1500, Cabral découvre les côtes brésiliennes totalement par hasard. Il fonde un premier comptoir dans l'actuelle ville de Salvador et noue des contacts avec les indiens Tupi. Ceux-ci lui offrent un bois appelé le *pau brasil*, grâce auquel on obtient une teinture rouge. C'est ce bois qui donnera ensuite son nom au Brésil.

Deux ans après la découverte de Cabral, les Portugais reviennent au Brésil dans l'intention d'explorer cette terre. Ils comprennent rapidement qu'il ne s'agit pas d'une île. La colonisation portugaise commencera au milieu du XVIe siècle. Voilà pourquoi les Brésiliens parlent aujourd'hui portugais et non espagnol.

23.

Pourquoi Jésus est-il aussi un dieu hindou ?

L'hindouisme est la plus vieille religion du monde. Elle occupe aujourd'hui le troisième rang mondial, avec près d'un milliard de fidèles. On connaît la particularité de son généreux panthéon, qui inclut un grand nombre de divinités. Mais sait-on que celles-ci peuvent dépasser le million et que Jésus en fait partie ? Explications.

Dès le Ier siècle de notre ère, des missionnaires se rendent en Inde pour tenter de l'évangéliser. Parmi eux se trouve le fameux saint Thomas, qui « ne croit que ce qu'il voit ». Ces prosélytes fondent l'une des plus anciennes églises chrétiennes, celle de Malabar. Au XVIe siècle, les Portugais débarquent sur les côtes indiennes, apportant avec eux d'autres missionnaires catholiques. Si les conversions sont peu nombreuses, les hindous ont néanmoins souvent associé Jésus au dieu Vishnou, le préservateur bon et miséricordieux, très populaire dans le sous-continent. En effet, ce dernier serait apparu aux hommes sous dix formes différentes, les plus célèbres étant celles de Krishna, de Rama et de Bouddha.

Pour y voir plus clair, précisons que le panthéon hindou conçoit une trinité de dieux (la Trimurti), composée de Brahmâ, Shiva et Vishnou. Dieu créateur de l'univers, *Brahmâ* symbolise l'interaction entre les différentes divinités.

Souvent représenté sous des traits effrayants, *Shiva* incarne la destruction, mais aussi la renaissance qui peut en résulter. Quant au doux *Vishnou*, il est l'équilibre entre création et destruction. Lorsque le monde est en péril, il descend sur terre sous la forme d'un de ses *avatars*. Tous ces dieux émanent de *Brahman*, principe divin fondamental. Bien sûr, certains dieux sont beaucoup plus vénérés que d'autres. C'est le cas de Ganesh, le dieu à tête d'éléphant, qui permet de surmonter les obstacles du quotidien. On le prie avant de passer un examen, de faire construire une maison ou d'entreprendre un voyage.

Si tous les hindous ne voient pas Jésus comme un avatar de Vishnou, ils le considèrent du moins comme un saint homme et un prophète habité par l'Esprit. Ils croient que tout homme peut incarner la conscience divine : « *Que celui qui veut devenir Fils de Dieu, qu'il abandonne son ego.* » Cette phrase du *védanta* fait écho à la parole de Jésus : « *Que celui qui veut venir après Moi, qu'il renonce à lui-même.* » D'aucuns vont plus loin en soutenant que Jésus fut initié en Inde, entre l'âge de douze et trente ans, durant cette période de sa biographie sur laquelle les Évangiles restent remarquablement silencieux.

Quoi qu'il en soit, le mahatma Gandhi reconnut lui-même avoir été influencé par le message de Jésus.

24.

Pourquoi les gardes du Vatican sont-ils suisses ?

Situé sur la rive droite du Tibre, le Vatican est le plus petit pays du monde : sa superficie de quarante-quatre hectares est peuplée par moins de mille habitants. Parmi eux, le souverain pontife, bien sûr, les nonces et cardinaux, des diplomates laïcs, ainsi que la plus petite et la plus ancienne armée du monde. Vêtus de leurs célèbres costumes chamarrés (qui, malgré la légende, n'ont pas été dessinés par Michel-Ange), les fameux *gardes suisses* attisent toujours la curiosité des touristes. D'où vient cette tradition ?

Dès l'Antiquité, les soldats suisses étaient réputés parmi les meilleurs d'Europe. Tacite, l'historien romain, écrivait déjà au début de notre ère : « *Les Helvétiques sont un peuple de guerriers, célèbre pour la valeur de ses soldats.* » Reconnus pour leur fidélité et leur force d'âme, ces fantassins étaient extrêmement redoutés. À la fin du Moyen Âge, la Suisse est un pays surpeuplé. Pour échapper à la misère, de nombreux Suisses émigrent et vendent leur compétence guerrière à d'autres États qui les emploient comme mercenaires. En 1479, le pape Sixte IV conclut une alliance avec les cantons suisses, qui lui permet de recruter des mercenaires et de les loger à Rome près de l'église Saint-Pèlerin. Mais c'est Jules II qui va faire de ces gardes l'armée officielle du

Vatican. Ancien évêque de Lausanne, Jules II connaît très bien les Suisses. En 1494, durant l'expédition de Naples par Charles VIII, il a pu observer la bravoure et la résistance de ces hommes, qui ont même sauvé la mise au roi de France à Fornoue. Impressionné, le pape obtient de la diète suisse, en juin 1505, l'envoi de deux cents soldats permanents pour assurer sa protection à Rome. Un premier contingent d'une centaine de hallebardiers arrive dans la ville éternelle le 22 janvier 1506, marquant la fondation officielle de la Garde suisse.

Six ans plus tard, après la bataille de Ravenne qui a chassé les Français d'Italie, et à l'issue d'une cérémonie grandiose, le pape accorde à la Garde suisse, en récompense pour ses bons et loyaux services, le titre de « défenseurs de la liberté de l'Église ». La sélection de cette troupe d'élite, amenée à demeurer si proche du pouvoir, se doit d'être drastique : les hommes sont choisis pour leur grande taille, leur force, leur grande moralité, mais aussi pour leur fidélité à la religion catholique (ce n'est plus le cas aujourd'hui car 30 % d'entre eux sont de confession protestante).

Après la victoire de Marignan en 1515, remportée contre les mercenaires suisses du duc de Milan qui ont remarquablement résisté, François Ier signe avec les cantons suisses une paix perpétuelle, par laquelle ils s'engagent à ne servir que la France et la papauté. Les fantassins suisses combattent dans son armée à Pavie, en 1525, mais c'est au Vatican, le 6 mai 1527, qu'ils se couvrent de gloire : lors du sac de Rome par les troupes du connétable Charles de Bourbon, la majorité des gardes suisses périt héroïquement, les armes à la main, en défendant l'accès menant au tombeau de Saint-Pierre de Rome, tandis que d'autres escortent le pape Clément VII dans sa fuite au château Saint-Ange. Les papes ne l'oublieront jamais. Dès l'année suivante, le 6 mai devient consacré au serment des recrues, en souvenir de ce sacrifice.

Refondée à partir de 1548, la Garde suisse pontificale connaît ensuite plusieurs dissolutions jusqu'à son retour définitif à Rome en 1814.

On sait moins que, dès le XIVe siècle, le pape bénéficiait également d'une protection corse. Mais en 1662, une banale querelle entre un garde corse et un domestique français vira à l'incident diplomatique : l'ambassadeur de France fut violemment pris à partie et l'un de ses pages mourut pendant la rixe. En réparation, Louis XIV exigea du pape Alexandre VII la dissolution de la garde corse et un dédommagement financier. Le souverain pontife céda en 1664, sous la menace de perdre les États d'Avignon.

Quant aux rois de France, ils continuèrent eux aussi à bénéficier de l'assistance des valeureux Gardes suisses. De même qu'ils avaient fidèlement protégé le pape en 1527, ces derniers s'illustrèrent notamment dans la défense du palais des Tuileries, où la plupart d'entre eux furent massacrés dans la seule journée du 10 août 1792, pour être demeurés fidèles à Louis XVI. Une mission perdue d'avance qui n'est pas sans rappeler le macabre anniversaire du 6 mai 1527…

25.

Pourquoi François Ier a-t-il risqué de perdre son titre d'héritier du trône de France ?

Si François Ier reste l'un des rois de France les plus connus du grand public, c'est sans doute parce que son règne s'ouvrit sur la célébrissime bataille de Marignan, dont la date (1515) se retient si facilement. On sait moins en revanche que ce roi risqua, par sa propre faute, de perdre son titre d'héritier du trône.

Nous sommes en 1514. Le roi Louis XII est vieux, malade et sans héritier mâle. Pour lui succéder, il a choisi son jeune cousin, le comte d'Angoulême, futur François Ier, en prenant soin de le marier à sa fille aînée, Claude de France. Le successeur attend patiemment son heure.

Lorsque, le 9 janvier 1514, l'épouse du roi, Anne de Bretagne, décède brutalement. Second coup de théâtre, neuf mois plus tard, quand Louis XII, qui n'a toujours pas renoncé à une descendance mâle et qui cherche à se rapprocher de l'Angleterre, se remarie avec la jeune Marie Tudor, âgée de seize ans et sœur d'Henri VIII. Voilà qui change singulièrement la donne ! Car si la nouvelle femme du roi lui donne un enfant de sexe masculin, c'est ce nouveau-né qui deviendra dauphin. Certes, la piteuse santé du roi réduit ses chances de procréer, mais la jeune Anglaise pourrait bénéficier des services empressés de son amant, le duc de Suffolk, qui l'a suivie jusqu'en France...

Le jeune François a toutes les raisons de s'inquiéter des conséquences que ce remariage pourrait avoir sur son statut d'héritier. Pourtant, cédant à sa fougue juvénile, il va commettre l'impensable : succomber lui aussi au charme de la nouvelle reine ! Songe-t-il qu'ainsi, il court le risque de compromettre sa seule chance de monter un jour sur le trône de France ? Fort heureusement, sa mère, Louise de Savoie, veille en secret. Elle sermonne durement son fils et, pour préserver Marie de toute aventure extraconjugale, va jusqu'à bloquer l'accès à la chambre de la reine !

Cette situation rocambolesque ne durera guère. Car le 1er janvier 1515, Louis XII décède, moins de trois mois après son remariage. Sur son lit de mort, il déclare à sa dernière épouse : « *Mignonne, je vous donne ma mort pour vos étrennes.* » La jeune veuve est immédiatement mise en sûreté et surveillée. Lorsqu'on constate que Marie n'est pas enceinte, François Ier est sacré roi de France, le 25 janvier. En poussant certainement un long soupir de soulagement...

26.

Pourquoi François Ier portait-il la barbe ?

Le port de la barbe ou de la moustache a toujours évolué selon les civilisations, en fonction des croyances ou simplement au gré de la mode. Si les Égyptiens de l'Antiquité réservaient la barbe aux dieux et aux pharaons, celle-ci était prisée chez les Grecs comme symbole de sagesse et de virilité, mais bannie à Rome pendant des siècles, jusqu'à l'empereur Hadrien. Au milieu du Moyen Âge, l'Église catholique prohiba la barbe pour marquer sa rupture avec l'Église orthodoxe. En France, c'est François Ier qui la remettra au goût du jour, à la suite d'un événement qui faillit bien lui coûter la vie. Pourquoi ?

Le 6 janvier 1521, François Ier se trouve à Romorantin, en Sologne. Âgé de vingt-six ans, le roi de France célèbre l'épiphanie au sein d'une large compagnie. Or, c'est son cousin, le comte de Saint-Paul, qui vient de tirer la précieuse fève. Par amusement, le roi entraîne alors ses compagnons pour attaquer l'hôtel du cousin, à coups de boules de neige, de pommes et d'œufs. Durant le joyeux mais rude affrontement, l'un des faux assiégés lance par la fenêtre un tison enflammé, qui tombe malencontreusement sur le roi, le blessant grièvement au visage. François Ier perd connaissance et reste durant plusieurs jours dans un coma qui fait craindre pour sa vie. Heureusement, il finit par se rétablir. Le pire est évité, mais pour soigner ses blessures, le roi a été contraint de se raser les cheveux. Redoutant de passer pour un moine, et afin de dissimuler les cicatrices sur ses joues, François décide de se laisser pousser la barbe. Il est immédiatement imité par toute la Cour.

À vrai dire, cette mode avait commencé quelques années plus tôt, dans les cours italiennes. Les stratèges transalpins avaient en effet jugé que les cinglantes défaites infligées durant les guerres d'Italie étaient le résultat d'une trop grande féminisation des soldats. En conséquence, le port de la barbe, symbole de virilité, s'était répandu, jusqu'à Rome. Le pape Jules II arborait ainsi une longue barbe, ce qui n'était plus arrivé à un souverain pontife depuis des lustres.

Relancée par François Ier, la mode de la barbe se diffusera dans toutes les cours européennes, comme en Angleterre avec Henri VIII. En France, elle durera presque un siècle, puisque le dernier souverain barbu fut Henri IV. Son fils, Louis XIII, préféra la moustache. Totalement disparue avec l'usage des perruques, la barbe ne fera sa réapparition qu'au milieu du XIXe siècle.

Pour l'anecdote, l'homme qui manqua involontairement de tuer François Ier en jetant une bûche enflammée serait, selon les chroniqueurs, le comte Jacques Ier de Montgomery, capitaine de la garde écossaise. Ce nom vous dit peut-être quelque chose ? C'est son fils, Gabriel de Montgomery, qui sera responsable de la mort accidentelle d'Henri II, le fils de François Ier ! Faut-il parler ici de malédiction ou de pyschogénéalogie ?

27.

Pourquoi l'Église officielle d'Angleterre est-elle l'anglicanisme ?

À mi-chemin entre catholicisme et protestantisme, l'anglicanisme est la religion officielle d'Angleterre. Elle a pour chef suprême le roi – ou la reine, comme actuellement – et pour primat l'archevêque de Cantorbéry. Mais quelle raison poussa un souverain britannique à proclamer une nouvelle Église ?

Pour le comprendre, il nous faut remonter au XVIe siècle, sous le règne d'Henri VIII. Jusque-là fidèle soutien du catholicisme et marié à Catherine d'Aragon, la tante de Charles Quint, le roi d'Angleterre n'a pas d'héritier mâle et souhaite répudier sa femme pour épouser sa maîtresse, Anne Boleyn, dame d'honneur de la reine. En 1527, il demande donc au pape Clément VII d'annuler son mariage. Mais le souverain pontife s'y refuse. Moins pour préserver la morale religieuse que par crainte de froisser Charles Quint. Furieux, Henri VIII – malgré son ministre Wolsey – décide, en 1531, de rompre ses relations avec la papauté et de soustraire totalement l'Église d'Angleterre à l'autorité papale. Il nomme son nouvel homme de confiance, Thomas Cranmer, archevêque de Cantorbéry et celui-ci peut dès lors entériner l'annulation du mariage, puisque le veto du pape n'a plus aucune valeur sur le territoire anglais. La réplique du prélat ne se fait pas attendre : le roi est excommunié. Un comble pour celui qui, dix ans plus tôt, avait obtenu le titre de « *défenseur de la Foi* » pour avoir réfuté les thèses de Luther ! Cependant, cette condamnation n'émeut guère Henri VIII, qui promulgue en 1534 l'Acte de suprématie, par lequel il se proclame (lui et ses successeurs) « unique et suprême chef de l'Église d'Angleterre ». Le roi fait condamner pour trahison les catholiques qui refusent son autorité, comme le chancelier Thomas More (qui sera canonisé quatre siècles plus tard) et décrète la suppression des monastères dont il fait saisir les biens.

Si Henri VIII a rompu avec la papauté, il ne veut pas pour autant d'un schisme définitif. Aussi l'Église anglicane est-elle organisée, cinq ans plus tard, par six nouveaux articles, qui imposent le dogme catholique. La dernière étape d'officialisation se déroule en 1559, sous le règne d'Élisabeth Ire (fille d'Henri VIII et d'Anne Boleyn), avec les Actes de suprématie et d'uniformité, qui réaffirment que le souverain d'Angleterre est le gouverneur suprême de l'anglicanisme, et établit un livre de prières anglican, rédigé par Thomas Cranmer. Ce livre est rendu obligatoire pour tous les Anglais.

Et voilà comment une simple question de divorce fut à l'origine de la création d'une religion qui compte aujourd'hui plus de 70 millions de fidèles à travers le monde ! Précisons qu'Henri VIII se mariera six fois, s'acharnant toujours à légaliser ses adultères.

28.

Pourquoi le français est-il notre langue officielle ?

Durant des siècles, nos compatriotes ne parlèrent pas le français, mais le latin – héritage de la colonisation romaine. Le « français » n'était alors qu'un vulgaire patois parisien. Alors comment notre langue s'est-elle finalement imposée ?

Avec la conquête romaine, l'usage du gaulois disparaît complètement au profit du langage des envahisseurs : le latin. Plus tard, les invasions germaniques transforment peu à peu la langue gallo-romaine et donnent naissance au *roman* ou ancien français, dont le plus vieux texte est le « Serment de Strasbourg » en 842. Au cours du Moyen Âge, le français – dialecte parlé dans le bassin parisien et le Val-de-Loire – et les diverses langues régionales évincent progressivement le latin, dont l'usage est désormais réservé au clergé et à l'administration.

C'est à partir de la Renaissance que les souverains vont chercher à imposer le français comme langue administrative, dans un effort de centralisation. Une date est à retenir : 1539. Cette année-là, alors qu'il se trouve en villégiature au château de Villers-Cotterêts, François Ier signe une ordonnance qui rend obligatoire l'usage du français pour tous les actes administratifs. Comme en témoigne l'article 111 : « *Et pour ce que telles choses sont souventesfoys advenues sur l'intelligence des motz latins contenuz es dictz arretz. Nous voulons que doresenavant tous arretz ensemble toutes aultres procedeures […] soient prononcez, enregistrez et delivrez aux parties en langage maternel francoys et non aultrement.* » (Et parce que de telles choses sont arrivées très souvent, à propos de la [mauvaise] compréhension des mots latins utilisés dans les arrêts, nous voulons que dorénavant tous les arrêts et autres procédures […] soient prononcés, enregistrés et délivrés aux parties *en langue maternelle française*, et pas autrement.)

Rédigé par le chancelier Guillaume Poyet, l'acte est enregistré au Parlement de Paris le 6 septembre. Longue de 192 articles, l'ordonnance royale réforme également la juridiction ecclésiastique, réduit certains privilèges communaux et oblige les curés de chaque paroisse à tenir un registre des naissances : c'est le début de l'état civil, si apprécié de nos jours par les généalogistes.

Selon certains historiens, l'ordonnance de Villers-Cotterêts serait le plus ancien texte de loi encore en vigueur. Mais si cet édit impose l'usage du français pour tous les actes officiels, il faudra néanmoins attendre la seconde moitié du XIXe siècle pour que le français soit parlé par l'ensemble de la population.

29.

Pourquoi l'année 1566 n'a-t-elle duré que 262 jours ?

Les Français qui vécurent au dernier tiers du XVIe siècle furent les témoins d'un bien étrange phénomène : l'année 1566 ne compta officiellement que 262 jours. Quelle en a été la raison ?

Pour le comprendre, remontons deux ans auparavant, en 1564. Cette année-là, le jeune roi Charles IX, âgé de quatorze ans, entame le « tour de France » que sa mère, Catherine de Médicis, a imaginé afin de le rapprocher de ses sujets. À l'occasion de sa visite dans l'est du royaume en compagnie de plusieurs milliers de courtisans, il découvre que certaines villes changent d'année à des dates différentes : à Lyon, c'est le 25 décembre, à Vienne, le 25 mars ! À Paris, c'est Pâques qui marque le début de l'année nouvelle. Il faut de toute évidence mettre fin à de telles incohérences. Mais la capitale aura-t-elle le dernier mot ?

Le problème, c'est qu'à la différence de Noël, la date de Pâques est extrêmement variable, puisqu'elle dépend de la première pleine lune de printemps. De plus, selon ce système, certaines années peuvent s'étaler sur près de 400 jours, quand d'autres n'en comptent que 330 ! Plus absurde encore, les années longues de plus de 366 jours comportent deux dates identiques : par exemple, l'année

1212, débutée le 25 mars et achevée le 14 avril, aura donc deux 1er avril.

Pour mettre fin à ces aberrations, Charles IX, conseillé par des savants, signe le 9 août 1564, dans la ville de Roussillon, près de Vienne, un édit préparé par Michel de L'Hospital, fixant au 1er janvier (fête religieuse qui célèbre la circoncision de Jésus, huit jours après sa naissance) le début de la nouvelle année dans tout le royaume de France. L'application de ce décret étant fixée au 1er janvier 1567, l'année 1566, qui avait commencé à Pâques (du moins à Paris), c'est-à-dire le 14 avril, s'acheva le 31 décembre, soit 262 jours plus tard.

Anecdote intéressante : l'édit de Roussillon serait à l'origine d'une tradition encore populaire de nos jours, celle du poisson d'avril. Avant 1567, pour célébrer l'année nouvelle qui commençait entre la fin du mois de mars et la mi-avril, les Français avaient coutume, chaque 1er avril, de s'offrir des présents, le plus souvent alimentaires. Mais lorsqu'on fixa le début de l'année calendaire au 1er janvier, une partie de la population ne fut pas immédiatement au courant du changement de calendrier et continua à offrir des cadeaux le premier jour d'avril. Pour les railler, on se mit alors à donner de faux présents, et notamment, période de carême oblige, de faux poissons. Ainsi seraient nés les canulars du 1er avril. Les farceurs peuvent remercier Charles IX !

30.

Pourquoi le protestantisme ne s'est-il pas diffusé au sud de l'Europe ?

Au XVIe siècle, la Réforme protestante initiée par Luther et Calvin se diffuse dans la majeure partie de l'Europe : dans l'Empire germanique, aux Pays-Bas, en Suisse, dans toute la Scandinavie, en France, en Angleterre et en Écosse. En revanche, dans les États du sud de l'Europe, le catholicisme est resté la religion de la quasi-totalité de la population. Pourquoi ?

En Espagne, État centralisé et unifié, le protestantisme n'a jamais pu se développer à cause de l'Inquisition. Née à la fin du siècle précédent, cette juridiction ecclésiastique réprime les convertis juifs et musulmans suspectés de pratiquer secrètement leur religion. Soutenue par les différents souverains, cette implacable politique s'étend au milieu du XVIe siècle aux protestants. Ainsi, de 1559 à 1561, les terribles autodafés de Séville et de Valladolid – celui du 8 octobre 1559 présidé par le roi Philippe II – condamnent au bûcher plusieurs dizaines de protestants. Suite à ces événements sanglants, la diffusion de la Réforme est définitivement stoppée en Espagne.

En Italie, la situation est différente du fait de la fragmentation de la péninsule en de nombreux États. Dans certaines régions, le protestantisme se diffuse grâce au courant humaniste, animé principalement par l'Espagnol

Juan de Valdés. À Venise, les protestants bénéficient d'une politique de tolérance et le dialogue interreligieux prospère. Mais c'est dans la République de Lucques, en Toscane, que le protestantisme fait le plus d'adeptes, grâce au théologien luthérien Pietro Vermigli. Dans le duché de Ferrare (actuelle Émilie-Romagne), Renée de France, épouse du duc Hercule II d'Este et fille de Louis XII, adhère elle-même à la Réforme. La duchesse rassemble autour d'elle des protestants venus de l'Europe entière. Et notamment Calvin, avec lequel elle entretiendra une très longue correspondance. En 1560, après la mort de son mari demeuré catholique, elle rentrera en France.

Pour lutter contre la progression de la Réforme dans la péninsule, la papauté crée en 1542 la Sacrée Congrégation de l'Inquisition romaine et universelle. Connue sous le nom de Saint-Office, elle est chargée d'administrer les procès pour hérésie. Confiée aux dominicains, elle obtiendra des résultats aussi redoutablement efficaces qu'en Espagne. Parallèlement, le concile de Trente revigore l'Église catholique en instaurant la Contre-Réforme. Les jésuites, son bras armé, parviendront à empêcher l'introduction du protestantisme en Italie. À la fin du XVIe siècle, les dernières communautés protestantes italiennes émigreront en Suisse ou en Allemagne. Seule exception : le duché de Savoie qui, par l'accord de paix de Cavour de 1561, accorde la liberté de culte aux protestants vaudois du Piémont.

En 1994, le pape Jean-Paul II a condamné une Inquisition « *présentant au monde, non point le témoignage d'une vie inspirée par les valeurs de la foi, mais le spectacle de façons de penser et d'agir qui étaient de véritables formes de contre-témoignage et de scandale* ».

31.

Pourquoi la République de Pologne était-elle gouvernée par un roi ?

En 1573, Henri de Valois (le futur Henri III) est élu roi de Pologne. Pourtant, le nom officiel de l'État polonais est alors « République des Deux Nations ». Comment deux pays ont-ils pu se constituer en une république commune et comment ce régime parlementaire a-t-il pu se concilier avec une monarchie ?

Le 1er juillet 1569, le royaume de Pologne et le grand-duché de Lituanie signent ensemble « l'Union de Lublin », aboutissement d'une association débutée dès la fin du XIVe siècle et qui permet la formation du plus vaste pays d'Europe. Ce traité donne surtout naissance à un nouveau régime : la République des Deux Nations, une monarchie élective et non héréditaire. C'est sous le bref règne d'Henri de Valois, premier roi élu, que sont fixés les principes fondamentaux de ce système original. Le souverain, qui n'est pas obligatoirement polonais ou lituanien, est choisi par un parlement (la *Diète*) auquel il est tenu de soumettre chacune de ses décisions. La Diète se réunit tous les deux ans et possède un droit de veto sur toute question concernant la diplomatie, le budget et la justice. Elle peut même se permettre de destituer le roi !

Ce parlement omnipotent est aussi qualifié de nobiliaire, car il est largement contrôlé par la noblesse polonaise qui, chose étonnante, représente alors 10 % de la population – un taux dix fois supérieur à celui des nobles en France. En outre, cette république est une fédération avant l'heure, puisque chaque province dispose d'une large autonomie et de son propre parlement.

Le début du XVIIe siècle représente l'âge d'or de cette insolite république. Alors que le centralisme et l'absolutisme émergent partout ailleurs en Europe, le pouvoir royal est ici affaibli dans un louable effort en faveur d'une monarchie parlementaire. On ne peut pourtant guère parler d'une réelle avancée démocratique, puisque le pouvoir est confisqué par la noblesse.

D'autant que c'est la Diète polonaise elle-même qui va mener la république à son morcellement quelques années plus tard. Suivant le principe du *liberum veto* (en latin : *j'interdis librement*), toutes les décisions du parlement doivent être adoptées à l'unanimité. Ce qui semblait être une innovation en termes d'équité va vite se révéler une idée désastreuse. Inauguré en 1669, ce principe conduit inévitablement à la paralysie des institutions polonaises, favorisant les interventions de puissances étrangères et précipitant le déclin du royaume au long du XVIIIe siècle. Toutes les tentatives de réforme sont systématiquement bloquées. Affaiblie, elle est partiellement dépecée par ses puissants voisins, la Russie, la Prusse et l'Autriche lors d'un premier partage en 1772.

Le dernier roi de Pologne, Stanislas II, essaie vainement de résister à leur avidité. La *Grande Diète*, réunie en 1788, est chargée de réformer la Constitution. Inspiré des idées libérales de la Révolution française, le nouveau texte, soutenu par le roi, est publié en 1791. Il paraît bien trop audacieux à la Russie qui impose l'abandon des réformes, et deux nouveaux partages mettent fin à l'existence même de la Pologne, rayée de la carte jusqu'en 1919.

32.

Pourquoi Catherine de Médicis est-elle la mère de trois rois de France ?

Née en 1519 et morte en 1589, Catherine de Médicis, fille du duc d'Urbino et nièce du pape Clément VII, eut dix enfants avec son époux, le roi de France Henri II. Parmi eux, trois deviendront rois de France. Explications.

Catherine a quatorze ans, lorsque François Ier choisit de contracter un mariage entre cette riche héritière et son fils cadet Henri. Il s'agit de consolider l'alliance entre la France et la papauté – sans négliger l'attrait non négligeable d'une belle dot héritée des Médicis. Trois ans plus tard, le destin de la jeune Florentine va soudain basculer : le décès du dauphin fait de son mari l'héritier du trône de France. Un problème de taille se pose alors : Catherine n'est toujours pas enceinte. Il faudra attendre dix ans de mariage pour qu'elle mette au monde son premier enfant. Par la suite, neuf autres suivront, rattrapant largement le retard !

Reine en 1547, Catherine devient veuve douze ans plus tard, avec la mort tragique d'Henri II. Elle va désormais déployer une formidable énergie pour préserver la dynastie et l'avenir de sa progéniture. Son fils aîné, le jeune François II, accède alors au trône de France. Mais ce règne ne durera qu'un an et cinq mois : le jeune roi décède en 1560, avant même d'avoir atteint ses dix-sept ans. Dans l'ordre de la lignée, son frère cadet, Charles IX, doit lui succéder. Comme il est âgé de dix ans, la régence est provisoirement confiée à Catherine. C'est désormais à son tour d'embrasser le pouvoir. Une lourde tâche l'attend : tenter de concilier catholiques et protestants, qui s'opposent dans de terribles guerres de Religion.

Une décennie plus tard, afin d'éviter l'évincement des Valois au profit des Guise, Catherine de Médicis n'hésite pas à ordonner le massacre des protestants, le 24 août 1572. À Paris comme en province, le zèle atroce des meurtriers va dépasser ses espérances ! D'une santé fragile et hanté par sa terrible responsabilité dans les tueries de la Saint-Barthélemy, Charles IX décède en 1574, sans avoir eu d'héritier. C'est au tour du frère cadet, Henri III, de monter sur le trône de France. Un an plus tôt, ce fils préféré de Catherine de Médicis avait été élu roi de Pologne (voir « *Pourquoi la République de Pologne était-elle gouvernée par un roi ?* ») grâce aux intrigues de sa mère. Il mourra assassiné en 1589, six mois après le décès de la reine mère.

Trois fils de Catherine de Médicis ont été sacrés rois de France. Ajoutons aussi que sa fille aînée, Élisabeth de France, fut reine consort d'Espagne, de Naples et de Sicile. Quant à la cadette, Marguerite de France (la célèbre « Reine Margot »), elle devint l'épouse du roi Henri IV.

Catherine de Médicis n'est toutefois pas la seule à avoir enfanté trois rois de France : la reine Jeanne de Navarre, épouse de Philippe le Bel, fut la mère des rois Louis X, Philippe V et Charles IV. Sans oublier la dauphine Marie-Josèphe de Saxe, mère de Louis XVI, Louis XVIII et Charles X.

33.

Pourquoi la couleur symbolisant les Pays-Bas est-elle l'orange ?

À l'occasion des Jeux olympiques ou de toute autre compétition sportive, il est impossible de ne pas remarquer cette couleur orange que portent les sportifs néerlandais ainsi que leurs nombreux supporters. Elle ne figure pourtant pas sur le drapeau des Pays-Bas, composé de trois bandes horizontales : rouge, blanc et bleu. Alors pourquoi est-elle la couleur nationale ?

L'orange est la couleur des Pays-Bas en hommage à sa famille royale. Régnant depuis 1815, celle-ci appartient à la maison d'Orange-Nassau, descendant de Guillaume d'Orange. Également surnommé *Guillaume le Taciturne*, ce père de la nation fut à la fin du XVIe siècle l'artisan de l'indépendance de son pays, alors possession espagnole.

D'origine allemande, Guillaume est l'héritier de la principauté d'Orange – ville française de l'actuel Vaucluse – rattachée à l'époque au Saint Empire. Il a été élevé dans la foi catholique à la cour de Charles Quint. En 1559, il est nommé par le roi d'Espagne, Philippe II, *stathouder* (gouverneur) des provinces de Hollande, Zélande et Utrecht.

Découvrant que les troupes espagnoles stationnées aux Pays-Bas et en Belgique préparent le massacre des protestants hollandais, Guillaume entre discrètement en dissidence

– d'où son surnom de « taciturne ». Il tente de soulever la noblesse hollandaise contre la politique autoritaire de Philippe II. Mais, identifié comme l'un des chefs de l'insurrection du pays, il doit s'enfuir en Allemagne. Il s'y convertit au calvinisme, avant de revenir aux Pays-Bas avec une armée, afin de prêter main-forte à la révolte de 1568. Les insurgés le nomment gouverneur des Pays-Bas. En janvier 1579, après plusieurs années de conflit, Guillaume d'Orange parvient à fédérer tout le nord des Pays-Bas espagnols (correspondant aux Pays-Bas actuels) dans l'Union d'Utrecht. Cette union marque de facto leur indépendance vis-à-vis de l'Espagne.

Furieux, Philippe II prend alors une décision rarissime dans l'histoire des relations internationales : il met à prix la tête de Guillaume d'Orange, offrant une récompense énorme à celui qui l'assassinera ! Cette menace accroît considérablement la popularité de Guillaume, qui riposte en publiant un réquisitoire contre le roi d'Espagne, dont les deux derniers mots deviendront la devise des Pays-Bas : « *Je maintiendrai.* » Après avoir échappé à un premier attentat, Guillaume d'Orange est finalement abattu d'un coup de pistolet, dans sa résidence, le 10 juillet 1584, par un fanatique catholique, Balthazar Gérard…

Notons que l'actuel drapeau hollandais est également un héritage de l'épopée de Guillaume le Taciturne. Créé durant la guerre d'indépendance contre l'Espagne, il était à l'origine composé des couleurs des armes de Guillaume, orange-blanc-bleu, ce qui lui valut le surnom de « bannière du Prince ». À partir de 1630, la bande orange fut remplacée par une bande rouge, plus visible en mer sur les pavillons. Cette modification ne sera officialisée qu'en 1937.

34.

Pourquoi en 1582 est-on passé en une seule nuit du 9 décembre au 20 décembre ?

Mais qu'a-t-il bien pu se passer le soir du 9 décembre 1582 pour que, le lendemain, tous les calendriers du royaume de France n'indiquent pas le 10 mais le 20 décembre ? Les Français sont-ils tombés dans une faille spatio-temporelle ?

Pour comprendre la raison de cette anomalie, remontons en 46 avant J.-C., année où Jules César institua dans l'Empire romain un nouveau calendrier auquel il donna son nom : le *calendrier julien*. Utilisé durant plus de seize siècles, ce calendrier fixait l'année à 365 jours, plus une année de 366 jours tous les quatre ans. La durée moyenne d'une année était donc de 365 jours et 6 heures. Seul problème : la Terre met exactement 365 jours, 5 heures, 48 minutes et 46 secondes pour tourner autour du soleil. Or, ce décalage de 11 minutes et 14 secondes s'accentua inévitablement année après année et finit par atteindre 11 jours au milieu du XVIe siècle, posant de plus en plus de difficultés aux savants de l'Église pour déterminer précisément la date de Pâques.

Pour remédier à cette difficulté, le pape Grégoire XIII confie à une commission de savants la lourde tâche de réformer le calendrier. Ceux-ci commencent par raccourcir les années calendaires afin qu'elles coïncident avec les années solaires. Pour ce faire, ils décident de supprimer 3 années bissextiles sur 100 (les années se terminant par 00 ne seront plus bissextiles, sauf celles qui sont divisibles par 400, comme 1600, 2000 ou 2400). Cette réforme permet de faire passer l'écart entre l'année civile et l'année solaire de 11 minutes à 25 secondes par an. Enfin, ils s'attaquent aux 10 jours de retard qui se sont accumulés avec le calendrier julien. Et les savants n'y vont pas par quatre chemins : pour rattraper le cours des saisons, ils proposent simplement d'avancer le calendrier de 10 jours !

Ainsi, le 24 février 1582, Grégoire XIII promulgue son nouveau calendrier, dit grégorien. Il est inauguré en Espagne et dans tous les États pontificaux dans la nuit du 4 octobre. Le lendemain, les calendriers n'indiquent donc pas le 5, mais le 15 octobre. La France, quant à elle, y vient deux mois plus tard, dans la nuit du 9 décembre 1582. Mais à cause des guerres de Religion, les pays non soumis à l'autorité du pape rechigneront encore des siècles avant d'entériner la réforme. Ce qui fera dire à l'astronome Johannes Kepler que les protestants préfèrent être en désaccord avec le soleil plutôt que d'être d'accord avec le pape !

L'Allemagne quant à elle n'a renoncé au calendrier julien qu'en 1700 et l'Angleterre en 1752. Ce bouleversement en Grande-Bretagne fut d'ailleurs prétexte à de graves émeutes, certains refusant de payer un loyer mensuel complet pour seulement 21 jours. Au XXe siècle, les pays orthodoxes, comme la Russie ou la Grèce, continuent quant à eux d'utiliser le calendrier julien, alors que son retard sur le calendrier grégorien se porte désormais à 13 jours. C'est pour cette raison que la révolution qui eut lieu, selon le calendrier grégorien, dans la nuit du 6 au 7 novembre 1917 – et qui vit les bolcheviques menés par Lénine envahir le Palais d'hiver et réussir un incroyable coup de force contre la jeune démocratie russe née huit mois plus tôt avec le renversement du tsar Nicolas II – s'est en fait déroulée le 25 octobre 1917 du calendrier julien, d'où son nom de « révolution d'Octobre » ! Finalement, le 1er février 1918, Lénine adoptera à son tour le calendrier grégorien, faisant passer les Russes, en une nuit, du 1er au 14 février. Plus de trois siècles après nous. La Grèce et la Turquie seront les derniers à s'y conformer, quelques années plus tard.

35.
Pourquoi Henri IV s'est-il fait sacrer à Chartres et non à Reims ?

Aucune ville ne restera autant associée à la monarchie française que la ville de Reims avec sa cathédrale. Clovis y fut baptisé et presque tous les rois de France sacrés à partir des Capétiens. Le contre-exemple le plus célèbre est sans nul doute Henri IV, qui décida d'être sacré à Chartres. Savez-vous par quel caprice de l'Histoire ?

En 1589, le protestant Henri IV succède sur le trône de France à son cousin et beau-frère Henri III, mort sans héritier. Tandis que les guerres de Religion déchirent le royaume, le nouveau roi se trouve dans une position très délicate : les catholiques de la Ligue et une partie de la population française refusent de le reconnaître comme souverain légitime. Durant plusieurs années, Henri IV doit soumettre les factieux, ville après ville. Malgré ses victoires, le roi comprend qu'il ne pourra jamais rallier tout le royaume, notamment Paris, s'il ne se convertit pas à la religion majoritaire. Aussi, après avoir annoncé son intention de renoncer au protestantisme, il (re)devient catholique, le 25 juillet 1593, dans la basilique Saint-Denis. Ne lui attribue-t-on pas à ce propos ce bon mot (apocryphe) : « *Paris vaut bien une messe !* »

La question religieuse étant réglée, Henri IV peut préparer son sacre, qu'il attend depuis plus de quatre ans ! Mais la ville de Reims est encore sous le contrôle de l'armée des Ligueurs. Le roi est alors contraint de faire entorse à la tradition et choisit d'être sacré à Chartres, dont la cathédrale est un véritable joyau. Cette ville est aussi chère à son cœur : lors de son siège, en janvier 1591, sa favorite Gabrielle d'Estrées s'était donnée à lui pour la première fois, cédant enfin à des mois de cour effrénée. Le sacre royal a lieu le 27 février 1594 en présence de l'évêque de Chartres, Nicolas de Thou, par ailleurs parent de Gabrielle. La Sainte Ampoule, qui n'a pas pu quitter Reims, est remplacée par une autre venant de l'abbaye de Marmoutier, près de Tours, et qui serait encore plus ancienne. Le sacre permet à Henri IV de rentrer triomphalement à Paris quelques semaines plus tard. Cet événement annonce la fin des guerres de Religion qui ont ensanglanté le pays durant près d'un demi-siècle.

En tout, le *Vert galant* aura changé six fois de religion ! Il faut dire que le sujet était déjà un motif de discorde entre ses parents. Né en 1553, le jeune Henri est baptisé catholique, mais lorsqu'il a sept ans, sa mère Jeanne d'Albret se convertit au protestantisme, autorise la nouvelle religion dans le royaume de Navarre et choisit d'élever son fils dans la foi calviniste. Or, à la suite de la conjuration d'Amboise, le père d'Henri, Antoine de Bourbon, rallie les catholiques et entre en conflit ouvert avec son épouse protestante, qu'il tente de répudier. Sous la pression paternelle, Henri redevient catholique en 1562. Dix ans plus tard, un mois après le massacre de la Saint-Barthélemy, Henri abjure à nouveau le calvinisme sous la contrainte. Redevenu par la suite chef protestant, il rejoint le catholicisme en 1593, cette fois pour raison d'État. Cette versatilité le poursuivra comme une fatalité, puisque son édit de Nantes, signé en 1598 pour « *l'établissement d'une bonne paix et tranquille repos* », sera révoqué moins d'un siècle plus tard.

36.

Pourquoi la dynastie qui règne au Royaume-Uni est-elle d'origine écossaise ?

À l'automne 2014, après plus de trois siècles d'union avec l'Angleterre, les Écossais vont devoir se prononcer par référendum sur la question de leur indépendance. Si les indépendantistes l'emportent, la reine Élisabeth II pourrait cependant continuer à régner sur les deux couronnes, comme l'ont fait pendant près d'un siècle ses prédécesseurs. La raison de cette particularité : la famille régnante fait partie de la dynastie écossaise des Stuart, par un de ces rebondissements dont l'histoire monarchique a le secret.

Remontons en 1603. Cette année-là décède la célèbre reine d'Angleterre, Élisabeth Ire, fille d'Henri VIII et d'Anne Boleyn, et dernière représentante de la maison Tudor. La « Reine vierge » n'ayant pas eu d'enfant, c'est son plus proche cousin qui lui succède : le roi d'Écosse, Jacques VI, dont la famille, les Stuart, règne depuis deux siècles. Tout en demeurant roi d'Écosse, Jacques VI monte sur le trône d'Angleterre sous le nom de Jacques Ier. Bien que les deux pays partagent le même souverain – mais sous un nom différent –, l'Écosse reste indépendante. Et ce sera le cas durant un siècle, jusqu'à l'Acte d'Union qui scellera l'association des deux pays en 1707.

Sept ans plus tard, la reine de Grande-Bretagne et d'Irlande, Anne Stuart, décède sans héritier – ses dix-sept enfants étant morts en bas âge. Avec elle s'éteint la dynastie des Stuart. La monarchie britannique ne perdra pas pour autant ses racines écossaises. Car l'Acte d'établissement de 1701 exclut les princes catholiques de la succession de Grande-Bretagne. C'est donc un lointain cousin allemand, le prince protestant Georges de Hanovre, qui lui succède sur le trône, sous le nom de Georges Ier. Or ce dernier, même s'il ne parle pas anglais, n'en demeure pas moins d'ascendance écossaise par sa mère, Sophie de Hanovre, qui n'est autre que la petite-fille de Jacques Ier. La dynastie de Hanovre perdurera jusqu'à la célèbre Victoria.

Les racines écossaises de la famille royale d'Angleterre s'illustrent magnifiquement avec le château de Balmoral, en Écosse, lieu de séjour favori de la grande majorité des souverains britanniques. À l'origine, cette propriété appartenait au roi d'Écosse Robert II, qui en fit son pavillon de chasse. Lorsqu'en 1848, la maison fut louée à la reine Victoria et au prince consort Albert, le jeune couple royal tomba sous le charme et décida de l'acquérir. Immédiatement, Albert commanda des plans pour faire agrandir ce château fort du XVe siècle et le rénover dans le plus pur style néogothique de l'époque.

Aujourd'hui encore, Élisabeth II se délecte de passer les mois d'août et de septembre à Balmoral, sur la terre de ses ancêtres.

37.

Pourquoi dit-on « de France et de Navarre » ?

De nos jours, il est encore fréquent d'employer l'expression « de France et de Navarre » lorsque l'on veut évoquer le territoire français dans sa totalité. Pourtant, force est de constater que la Navarre n'est pas située en France, mais en Espagne ! Elle constitue l'une des dix-sept communautés autonomes (ou régions) du pays. Qu'est-ce que cette expression peut donc bien signifier et quelle est son origine ?

C'est dans le nord de l'Espagne, au IXe siècle, que naît le royaume de Navarre, alors peuplé de Basques et de Vascons. Comme aujourd'hui, sa capitale est Pampelune. Aux siècles suivants, son territoire s'étend jusqu'au nord des Pyrénées, autour de la ville de Saint-Jean-Pied-de-Port. En 1284, la reine de Navarre, Jeanne Ire, épouse le roi Philippe le Bel, unissant pour la première fois sa couronne à celle du royaume de France. Leur fils, Louis X le Hutin, est ainsi le premier souverain à porter les titres de roi de France et de Navarre. Or, lorsqu'il décède en 1316 sans héritier masculin, sa fille Jeanne se trouve exclue du trône (Voir « *Pourquoi les femmes ont été exclues de la couronne de France ?* »), tout en conservant la couronne de Navarre.

N'étant plus lié à la France, le trône de Navarre change plus d'une fois de titulaire : au gré des mariages, il devient propriété des comtes d'Évreux, puis de Foix. En 1484, à l'instigation de Louis XI, il passe entre les mains de la puissante maison d'Albret, originaire d'Aquitaine. Mais en 1512, le roi d'Aragon, Ferdinand le Catholique, profite de l'absence des Français accaparés par les guerres d'Italie pour annexer la Navarre. Depuis cette date, celle-ci demeure une province espagnole. Toutefois, une petite portion du territoire navarrais, situé au nord des Pyrénées et appelé Basse-Navarre, a échappé à la conquête espagnole et reste aux mains du roi, Henri II d'Albret. C'est de ce petit royaume situé entre le pays Basque et le Béarn, qu'hérite sa fille unique, Jeanne d'Albret.

En 1548, Jeanne épouse en secondes noces un prince de sang, Antoine de Bourbon, et se convertit au protestantisme. Leur fils Henri, élevé dans la foi calviniste, devient officiellement roi de Navarre en 1572, avant de monter sur le trône de France dix-sept ans plus tard sous le nom d'Henri IV. En 1607, les deux couronnes sont officiellement rattachées, consacrant le souverain français « roi de France et de Navarre ». En souvenir de son père mort tragiquement, le fils d'Henri IV, Louis XIII, décidera alors de conserver ce titre, imité ensuite par tous ses successeurs jusqu'à Charles X. La Basse-Navarre ne sera officiellement rattachée à la France qu'en 1790, lorsque la Révolution l'incorpore au département des Basses-Pyrénées (ancien nom des Pyrénées-Atlantiques).

C'est au XIXe siècle, lors de la Restauration, que l'expression « de France et de Navarre » a été popularisée. On se gaussait alors en abusant de l'expression « peuple de France et de Navarre » !

38.

Pourquoi la tulipe est-elle à l'origine du premier krach boursier de l'Histoire ?

Associé à la terrible crise économique de 1929, le terme de « krach » a été forgé en 1873, lors de l'effondrement des Bourses de Berlin et de Vienne. Mais le premier de ces phénomènes financiers spectaculaires, aux conséquences souvent dramatiques, a eu lieu aux Pays-Bas en 1637. Il fut causé par la tulipe. Explications.

Au XVIe siècle à Constantinople, une certaine fleur d'ornement, originaire d'Asie centrale, est très prisée à la cour de Soliman le Magnifique. Ambassadeur dans l'Empire ottoman, le Flamand Ogier Ghislain de Busbecq est séduit. Il baptise la fleur *tulipe* en référence à un mot turc désignant un « turban » et envoie des bulbes à son compatriote, le botaniste Charles de Lescluse, qui les plante en 1593 dans le jardin botanique de Leyde aux Pays-Bas. Et peu à peu, les horticulteurs rivalisent de talent pour améliorer les variétés de tulipes, faisant naître en Hollande une véritable passion. Amateurs de plantes exotiques, les commerçants hollandais vont s'arracher cette nouveauté aux couleurs si vives et si variées.

Considérablement enrichis depuis la guerre d'indépendance avec l'Espagne, les marchands hollandais sont alors à la pointe du commerce international. En 1602, ils ont fondé la très lucrative Compagnie des Indes orientales, faisant d'Amsterdam la première place financière d'Europe. C'est ainsi qu'au début des années 1630, le prix des tulipes s'envole. Les bulbes les plus recherchés, notamment les *cassées*, *marbrées* ou *flammées*, s'échangent pour plusieurs milliers de florins, soit quinze fois le salaire annuel d'un artisan. Entre 1634 à 1637, le prix des bulbes augmente de… 5 900 % ! Cette spéculation folle profite du fait que la commande s'effectue généralement en automne ou en hiver, alors que le règlement se fait au printemps, au moment où le bulbe peut être planté. D'autre part, le marché de la tulipe n'est ni organisé ni sécurisé : les transactions se passent dans de simples tavernes et sans aucun dépôt de garantie.

Or, durant l'automne 1636, une loi du parlement hollandais est votée, stipulant que les contrats sur les commandes de tulipes ne devront plus inclure d'obligation d'achat. Les acheteurs profitent de cette aubaine pour affluer sur le marché et, très vite, les promesses de livraison ne tiennent plus compte des quantités réelles. Le 6 février 1637, les cours s'effondrent brutalement, conduisant à la ruine de nombreux spéculateurs… Curieusement, l'histoire de ce krach demeurera longtemps inconnue du grand public. Il faut attendre 1841 et la publication du livre *Les Délires collectifs extraordinaires et la folie des foules* pour que le journaliste anglais Charles Mackay évoque cet événement comme la première bulle spéculative de l'Histoire.

Contrairement à celle de 1929, la crise des tulipes n'eut guère de conséquences sur l'économie hollandaise et ne toucha au final qu'un nombre restreint de commerçants. En tout cas, la passion des Hollandais pour leurs tulipes est demeurée intacte, comme le prouvent les champs de fleurs qui égaient toujours leurs paysages.

39. Pourquoi les Anglais ont-ils fait exécuter leur roi cent cinquante ans avant les Français ?

En référence à la Révolution qui instaura la république et condamna à mort un souverain qui affirmait détenir son pouvoir de Dieu, la France s'est autoproclamée « pays des droits de l'homme ». C'est oublier que les Anglais avaient instauré une république (même éphémère) et fait exécuter leur souverain un siècle et demi plus tôt ! En voici les raisons.

Charles Ier devient roi d'Angleterre, d'Écosse et d'Irlande en 1625. Il est marié à une catholique, Henriette de France (sœur de Louis XIII), ce qui n'est pas du tout bien vu à l'époque. En outre, son goût pour le pouvoir personnel et l'exubérance de son favori, le duc de Buckingham, surnommé « le plus bel homme du monde », le rendent très vite impopulaire. Après l'assassinat du duc en 1628, Charles Ier décide de dissoudre le Parlement. Il va alors gouverner seul pendant onze ans. Durant cette période, l'opposition conteste l'autorité royale de plus en plus durement. Aussi, lorsque Charles Ier est contraint en 1640 de convoquer un nouveau Parlement pour régler les questions budgétaires et mater l'insurrection écossaise, les parlementaires en profitent pour mettre en accusation son principal conseiller, Thomas Wentworth. Après un procès inique, ils obtiennent la condamnation de Wentworth pour haute trahison et son exécution en mai 1641.

Le roi ne peut guère prendre le risque d'une nouvelle dissolution. Il préfère temporiser, avant d'ordonner l'année suivante l'arrestation de cinq chefs de l'opposition parlementaire, dont le très populaire Pym. Mais, sous la pression du peuple, son injonction reste sans effet. Le 10 janvier 1642, prudemment, Charles Ier décide de quitter la capitale. Débute alors une guerre civile entre les partisans du roi qui cherchent à restaurer son pouvoir et ses opposants parlementaires et puritains. Surnommés les « Têtes rondes » (parce qu'ils avaient les cheveux courts), ces derniers sont commandés par Oliver Cromwell. Et ce sont eux qui prennent peu à peu l'avantage. En mai 1647, Charles Ier, qui s'était réfugié en Écosse, est livré à Cromwell contre une rançon de 800 000 livres !

De retour à Londres avec son prestigieux prisonnier, Cromwell interdit l'accès au Parlement à tous les représentants favorables au roi. Réduit à quatre-vingt-dix membres, c'est un Parlement « croupion » qui vote alors la condamnation à mort du souverain pour trahison, sur l'injonction de Cromwell. Le 9 février 1649, Charles Ier est décapité à Whitehall, près de Westminster. On raconte que, voyant quelqu'un toucher le tranchant de la hache, le roi aurait dit : « *Ne gâtez pas la hache, elle pourrait me faire plus mal.* » Et son dernier mot sera : « *Souvenez-vous !* » Avec la mort du roi, Cromwell devient le maître tout-puissant du pays et prend en 1653 le titre officiel de Lord Protecteur de la République. Il meurt en 1658.

La seule république qu'ait connue l'Angleterre prendra fin deux ans plus tard, avec l'intronisation de Charles II, fils de Charles Ier, grâce à l'influent général Monck.

40.

Pourquoi Louis XIV s'est-il installé à Versailles ?

Le 6 mai 1682, Louis XIV et sa cour s'installent à Versailles, à 20 kilomètres au sud-ouest de Paris. Le roi de France y passera le restant de sa vie, imité par ses successeurs, jusqu'en 1789. Dès 1661, le Roi-Soleil avait décidé de construire le château qui symboliserait la grandeur de son règne. Pourquoi Louis XIV a-t-il pris cette décision historique ?

Louis XIV a grandi entre le château de Saint-Germain-en-Laye où il est né et le palais du Louvre, au cœur de la capitale. Mais le roi n'aime pas Paris. En premier lieu, parce qu'il en conserve un traumatisme d'enfance. En effet, lors de la Fronde, le parlement de Paris s'était violemment soulevé contre sa mère Anne d'Autriche et Mazarin. Dans la nuit du 5 au 6 janvier 1649, le cardinal et la régente avaient dû fuir Paris, en compagnie du jeune roi, alors âgé de onze ans, dans des conditions rocambolesques qui le marquèrent à jamais. D'autre part, Louis XIV est un homme de plein air. Passionné de chasse, il aime la campagne et ressent toujours le besoin d'ouvrir les fenêtres. D'où l'idée d'une résidence en dehors des murailles angoissantes de la capitale. Mais pourquoi choisir de bâtir sur ce site marécageux et insalubre qu'est alors Versailles ? Cette fois, c'est par fidélité au souvenir de son père, Louis XIII, qui avait fondé là son relais de chasse préféré, émettant le désir d'y finir ses jours.

Les travaux engagés pour transformer ce site improbable en une résidence royale vont être gigantesques, ne serait-ce que pour assécher les marais ou acheminer l'eau potable ! Deux architectes s'y emploient : Louis Le Vau étant décédé en 1670, c'est Jules Hardouin-Mansart qui terminera les travaux, et notamment la fameuse *Galerie des Glaces*. Dans des conditions de travail souvent pénibles, voire mortelles à cause de la fièvre des marais, le chantier comptera jusqu'à 36 000 ouvriers en 1685. Et jusqu'à la mort du Roi-Soleil, Versailles sera toujours en travaux. Car Louis XIV veut non seulement faire du château de Versailles le plus bel édifice de son époque, symbole de la grandeur de son règne, mais également la synthèse de sa pensée politique absolutiste. Son installation à Versailles avec la Cour lui permet surtout, et c'est là le plus important, de concentrer loin de Paris, afin de la domestiquer, toute une noblesse qui menace depuis longtemps le pouvoir royal.

En 1682, Louis XIV décide d'emménager alors que les travaux ne sont pas encore achevés. Pour l'anecdote, l'accès au château de Versailles (à l'exception bien sûr des appartements du roi) était ouvert à tous les sujets du royaume, à la seule condition d'être décemment vêtu et de porter un chapeau et une épée – éléments qui pouvaient être loués à l'entrée !

41.

Pourquoi l'hymne anglais a-t-il été composé pour Louis XIV ?

Bien que le Royaume-Uni n'ait officiellement aucun hymne national, le « God Save The Queen » (ou « King ») est de facto, depuis près de trois siècles, celui de la couronne britannique dans toutes les cérémonies officielles. Symbole mondialement connu de la culture britannique, il a pourtant été écrit par une Française, composé par un Italien et popularisé par un Allemand. Et il doit sa naissance à une blessure au royal postérieur du Roi-Soleil !

En janvier 1686, Louis XIV tombe brusquement malade. La plume d'un coussin rembourrant le carrosse royal lui a piqué le postérieur, occasionnant un abcès particulièrement mal placé. Après quatre mois de traitements inefficaces, les médecins découvrent une fistule anale, qu'il est indispensable d'inciser. L'opération n'a lieu que cinq mois plus tard, en novembre, le temps de fabriquer un bistouri royal, véritable pièce d'orfèvrerie, dont la lame est recouverte d'argent. Pour fêter la guérison du roi, les jeunes pensionnaires de Saint-Cyr, institut fondé quelques mois plus tôt par Mme de Maintenon, décident de composer un cantique. La supérieure, Mme de Brinon, nièce de la fondatrice, rédige quelques vers qu'elle demande à Lully de mettre en musique. Le cantique commence par ce couplet : « *Que Dieu protège notre Roi, Longue vie à notre noble Roi, Que Dieu protège le Roi ! Rends-le victorieux, Heureux et glorieux, Que soit long son règne sur nous, Que Dieu protège le Roi !* » Il est entonné par les Demoiselles de Saint-Cyr pour accueillir Louis XIV à chacune de ses visites dans leur maison de Saint-Louis.

C'est lors d'un séjour à Versailles en 1714 que Georg Friedrich Haendel, un compositeur allemand établi en Angleterre, découvre le cantique. Il le trouve si beau qu'il en note les paroles et la mélodie. De retour à Londres, Haendel fait traduire le texte par un prêtre nommé Henry Carey. Celui-ci rédige alors ce couplet qui va traverser l'Histoire : « *God save Great George our King, Long live our noble King, God save the King ! Send him victorious, Happy and glorious, Long to reign over us, God save the King !* » Haendel présente ensuite le cantique au nouveau roi d'Angleterre, Georges Ier, sans toutefois préciser qu'il a été écrit et composé vingt ans plus tôt pour le roi de France. Ce chant plaît tellement au souverain britannique qu'il décide de faire jouer « God Save The King » lors des cérémonies officielles. L'hymne anglais est né. Son origine inspire cette pique fameuse à la marquise de Créquy : « *Que l'hymne des Anglais naquit d'un anus, voilà qui ne cesse de me faire rire sans toutefois un instant me surprendre.* »

Précisons encore que, chanté en latin, le « *Domine, salvum fac Regem* » fut l'hymne royal français jusqu'en 1792, date de l'abolition de la monarchie. Et traduit en allemand en 1790, le « *Gott, schütze Unser Kaiser !* » célébrant l'empereur d'Allemagne fut chanté quotidiennement par les écoliers du pays jusqu'en 1918.

42.

Pourquoi Louis XIV a-t-il révoqué l'édit de Nantes ?

Le 18 octobre 1685, Louis XIV signe l'édit de Fontainebleau, qui révoque l'édit de Nantes signé par son grand-père Henri IV en 1598. Ce texte fait du catholicisme la seule religion du royaume et interdit le protestantisme, pourtant pratiqué par près d'un million de fidèles. Les temples sont détruits, les pasteurs chassés et tous les enfants baptisés de force dans la foi catholique. Provoquant un formidable exode, la révocation de l'édit de Nantes a déconsidéré la France auprès d'une partie de l'Europe et considérablement appauvri son économie. Pourquoi le Roi-Soleil a-t-il pris une telle décision ?

Avant Louis XIV, l'édit de Nantes avait déjà été amendé. Signée en 1629, la paix d'Alès mettait fin aux assemblées et aux places de sûreté accordées par Henri IV, afin d'empêcher les protestants de constituer « un État dans l'État ». Dès le début de son règne, Louis XIV entend mener une vaste politique de centralisation, conforme à l'initiative de Richelieu. N'admettant pas que deux religions puissent cohabiter dans un même État, le Roi-Soleil s'engage dans une campagne de prosélytisme, avec l'appui du clergé.

Ainsi, il n'hésite pas à offrir une prime aux huguenots ayant abjuré le protestantisme, grâce à la Caisse des conversions créée en 1676. D'autre part, en 1683, les Turcs sont repoussés à Vienne et l'empereur Léopold se flatte d'être le nouveau champion du catholicisme. Heureux pour la chrétienté et célébré dans toute l'Europe, cet événement contrarie pourtant les aspirations du Roi-Soleil, qui veut que la France soit la première puissance catholique. Enfin, il considère les huguenots français comme des alliés potentiels des Anglais et des Hollandais, puissances protestantes avec lesquelles il est déjà en guerre.

La décision de révoquer l'édit de Nantes lui est même fortement conseillée par son entourage. Non pas, comme on le croit généralement, par sa favorite Mme de Maintenon, qu'il vient d'épouser secrètement, mais par le chancelier de France Michel Le Tellier et son fils François-Michel (alias Louvois), qui a pris le poste de secrétaire d'État à la Guerre à la mort de Colbert en 1683. Quelques années plus tôt, Louvois avait créé dans le Poitou les premières *dragonnades*, des opérations chargées de convertir les protestants par la force. Ces campagnes féroces et brutales, critiquées par Colbert avant sa mort, vont se généraliser à partir de la révocation de l'édit de Nantes. Or de nombreux protestants officiellement convertis continueront de pratiquer secrètement leur religion.

Cette décision fut sans doute la plus grande erreur du règne de Louis XIV. Elle provoqua le départ de près de 300 000 protestants, issus principalement des professions libérales et de l'artisanat. Une véritable fuite des cerveaux ! Elle déclencha en outre la guerre de la Ligue d'Augsbourg, qui mit fin à l'hégémonie française au profit de l'Angleterre. Ce n'est qu'en 1787 que Louis XVI redonnera un statut légal aux protestants en leur accordant l'état civil.

43.

Pourquoi beaucoup de Sud-Africains sont-ils d'ascendance française ?

Les amateurs de rugby et les observateurs de l'actualité internationale ont sans doute remarqué que de nombreux *Afrikaners* portent des patronymes à consonance française : De Villiers, Du Plessis, Barnard, Niel, Du Toit, Terreblanche, etc. L'Afrique du Sud n'a pourtant jamais été une colonie française, mais hollandaise et britannique. Quelle en est l'explication ?

On le sait peu, mais l'Afrique du Sud est l'une des plus anciennes terres d'immigration française. Son origine remonte à 1685, lorsque Louis XIV révoque l'édit de Nantes et interdit la religion protestante. Cette décision provoque le départ de 300 000 huguenots, qui quittent l'Hexagone pour trouver refuge dans les pays protestants. Beaucoup choisissent les Pays-Bas, à majorité calviniste. Et c'est à partir des Pays-Bas que 178 familles protestantes françaises embarquent en 1688 pour la colonie hollandaise du Cap. Fondée en 1652, elle est alors une étape essentielle pour la Compagnie néerlandaise des Indes orientales, basée à Batavia, en Indonésie.

Or, la colonie du Cap réclame à cette époque des colons pour développer l'agriculture et la viticulture, afin de pouvoir ravitailler les navires qui se rendent à Batavia. Ces huguenots qui acceptent d'émigrer en Afrique du Sud sont majoritairement originaires du Lubéron, du Dauphiné et de la Provence et appartiennent à la classe moyenne des artisans. À leur arrivée, ils sont installés à une soixantaine de kilomètres du Cap, où on leur attribue des terres à volonté. Rapidement, ils parviennent à faire fructifier leurs propriétés et à s'enrichir, contribuant ainsi à faire de l'Afrique du Sud l'un des plus grands pays exportateurs de vins au monde. Cependant, leurs rapports avec les colons hollandais – appelés *Afrikaners* ou « Boers » – se détériorent rapidement. Car les Français tiennent à conserver leur langue et leur culture.

C'est pour sauvegarder leur identité française que nos émigrants demandent à vivre « à part » des Hollandais, trois fois plus nombreux qu'eux. Créé par les huguenots, ce concept d'« apartité » donnera naissance trois siècles plus tard au terrible mot d'*apartheid*. De l'autre côté, craignant que ces colons ne servent de base à une invasion française, la Compagnie néerlandaise des Indes orientales les soumet à une campagne d'assimilation en interdisant notamment l'enseignement en français. Cette langue disparaîtra en seulement deux générations, au profit de l'*afrikaans*, dérivé du hollandais.

Aujourd'hui, il ne reste de la culture française en Afrique du Sud que des patronymes, portés par 20 % des Afrikaners : ainsi, l'ancien président Frederik De Klerk doit son nom à un huguenot dénommé *Leclerc*. On retrouve aussi de nombreux toponymes (le Mont Huguenot ou le Pic du Chasseur) et noms de domaines viticoles ou agricoles (Bourgogne, Versailles, la Brie, Provence, Petite Paris, Rhône, etc.).

44.

Pourquoi le roi d'Espagne est-il d'origine française ?

Pour comprendre ce paradoxe historique, il faut remonter à l'année 1700. Le 1er novembre décède le roi d'Espagne, Charles II, cinq jours avant son 39e anniversaire. Or le testament qui désigne son successeur va enflammer les cours européennes.

Charles II est chétif, déficient et atteint de violentes crises d'épilepsie. Comble de malheur, il est stérile ! Y a-t-il pire calamité pour un roi ? Afin d'empêcher le démembrement de son royaume, le moribond doit au plus vite se choisir un héritier parmi les deux principales familles régnantes d'Europe, les Bourbon de France et les Habsbourg d'Autriche. Le choix est d'autant plus délicat que par un curieux jeu des alliances, ces deux familles lui sont apparentées. Un mois avant sa mort, le roi d'Espagne finit par désigner le petit-fils de Louis XIV. C'est ainsi qu'à l'âge de dix-sept ans, un Français, Philippe d'Anjou, descendant de la branche des Bourbon, accède au trône espagnol, sous le nom de Philippe V.

Mais certains ne l'entendent pas de cette oreille. Craignant l'unification des royaumes de France et d'Espagne, d'autres puissances européennes refusent le testament et choisissent un autre candidat : Charles de Habsbourg, fils de l'empereur d'Autriche. Le ministre français des Affaires étrangères a beau annoncer, pour apaiser les esprits, que les deux monarchies demeureront distinctes, nul n'est dupe. D'autant que, trois mois plus tard, le 1er février 1701, le Parlement de Paris déclare que le nouveau roi d'Espagne conservera tous ses droits à la couronne de France ! Prenant prétexte d'une manœuvre française en territoire espagnol, une coalition, formée entre autres par l'Autriche, l'Angleterre, la Prusse et le Portugal, déclenche les hostilités. C'est la guerre de Succession d'Espagne… Elle va durer treize ans, avant de se solder par le traité d'Utrecht, en 1713. Certes, Philippe V a gagné, il conserve la couronne d'Espagne, mais il doit renoncer définitivement à la succession française, pour lui-même et toute sa descendance.

L'arrivée d'un Bourbon français sur le trône d'Espagne modifiera durablement la monarchie de ce pays. S'inspirant du centralisme français, Philippe V parvient pour la première fois à unifier les couronnes de Castille et d'Aragon. Ainsi, en dépit de deux brèves interruptions, les Bourbons ont acquis depuis une légitimité incontestée sur l'Espagne jusqu'à l'avènement de la République en 1931. Et même au-delà ! En effet, lorsque le général Franco accepta le retour de la monarchie, au début des années 70, il choisit à nouveau un Bourbon, Juan Carlos, pour lui succéder. Un roi qui, dès le début de son règne en 1975, lança des réformes démocratiques – au grand dam des forces armées franquistes.

Voilà donc pourquoi l'actuel roi d'Espagne, Juan Carlos Ier, même s'il n'a pas la nationalité française, appartient bel et bien à l'une des familles les plus célèbres de l'Histoire, celle des Bourbons, qui régna sur la France durant deux siècles, d'Henri IV à Charles X.

45.

Pourquoi la France s'est-elle appauvrie du temps de Louis XIV ?

Aucun roi de France n'a autant symbolisé l'opulence et le faste que le Roi-Soleil. Souverain le plus puissant d'Europe sinon du monde, mécène sans égal et bâtisseur du plus somptueux des châteaux français, celui de Versailles, Louis XIV meurt pourtant en 1715 en laissant le royaume dans une situation économique désastreuse, grevé par l'une des plus lourdes dettes de son histoire. Comment cela s'explique-t-il ?

À la mort de Mazarin en 1661, Louis XIV hérite d'un royaume hégémonique qui n'a qu'une seule faiblesse : ses finances. Le cardinal italien a en effet gouverné la France de manière très prodigue et les déficits se sont accumulés. De nature nettement plus parcimonieuse, son successeur Colbert déploie tout son talent pour tenter de rééquilibrer les comptes du royaume. Ne parvenant plus à réduire les dépenses publiques à partir de 1672, le contrôleur général des finances se résigne alors à augmenter les impôts (il créera ainsi la Ferme générale), à vendre des domaines et des offices, et surtout à emprunter. Le royaume ne bénéficiant pas encore d'une grande banque, et la répartition de l'impôt n'ayant pas été réformée, la politique de Colbert est un échec. À sa mort en 1683, la dette publique se chiffre à 158 millions de livres.

L'endettement du royaume est essentiellement dû au poids de la guerre. Les conflits armés engendrent des dépenses considérables, en particulier pour la solde des soldats et le matériel – qui s'élève à la moitié du budget de l'État en temps de paix. Or, sous le règne de Louis XIV, la France a mené quatre guerres majeures : la guerre de Dévolution, celle de Hollande, celle de la Ligue d'Augsbourg et celle de la Succession d'Espagne. Chaque fois, la durée du conflit s'est accrue, de même que la taille de la coalition ennemie. Au total, sur les cinquante-quatre ans de règne personnel du Roi-Soleil, vingt-neuf auront été des années de guerre.

Dans une bien moindre mesure, la construction et l'embellissement du château de Versailles a également englouti une partie des recettes du royaume : 100 millions de livres entre 1664 et 1715. Précisons que le mobilier des appartements du roi était en argent et la vaisselle en or. Cet ensemble décoratif d'un luxe inouï, estimé à vingt tonnes d'argent massif, n'existe plus. Il fut entièrement fondu en 1689 pour financer la guerre de la Ligue d'Augsbourg. Bien maigre résultat : sur les 10 millions de livres que Louis XIV avait dépensés pour son mobilier en argent, il n'en récupéra que deux, alors qu'il en espérait au moins le triple !

À la mort de Colbert, le peuple insulta son cercueil en dénonçant l'enrichissement personnel du haut fonctionnaire. Ce dernier avait certes amassé une fortune de près de 4,5 millions de livres, mais les finances étaient contrôlées sous son administration. Après sa disparition, durant les trente-deux ans que dureront encore le règne de Louis XIV, les déficits ne cesseront de s'accumuler.

46.
Pourquoi le Grand Dauphin avait-il le même nombre de grands-parents que d'arrière-grands-parents ?

Logiquement, si l'on possède deux parents, le nombre de nos ascendants double à chaque génération. Or Louis de France, surnommé le Grand Dauphin avait un arbre généalogique pour le moins insolite : il comptait en effet autant de grands-parents que d'arrière-grands-parents !

Fils aîné de Louis XIV et Marie-Thérèse d'Autriche, doubles cousins germains, ses grands-parents sont, du côté paternel, Louis XIII et Anne d'Autriche, et du côté maternel, Élisabeth de France (sœur de Louis XIII) et Philippe IV d'Espagne (frère d'Anne d'Autriche). Louis XIII et Élisabeth de France ayant les mêmes parents (Henri IV et Marie de Médicis), de même qu'Anne d'Autriche et Philippe IV (Philippe III et Marguerite d'Autriche), le Grand Dauphin a donc quatre arrière-grands-parents en double. Malgré cette parenté extrêmement rapprochée, Louis n'a souffert d'aucune pathologie congénitale, décédant à quarante-neuf ans de la petite vérole. Il reste cependant le seul des six enfants du Roi-Soleil et de Marie-Thérèse à avoir atteint l'âge adulte – trois sont décédés avant l'âge d'un an.

Si ces unions, cas d'école pour les généticiens, nous paraissent inconcevables aujourd'hui, il faut préciser qu'à l'époque, on n'avait aucune idée des risques qu'entraînait la consanguinité. En réalité, non seulement Louis XIV et son épouse étaient doublement cousins germains, mais de surcroît vingt et un de leurs ascendants possédaient un coefficient de filiation élevé. D'après les spécialistes, ce lourd patrimoine a joué un rôle non négligeable dans la mortalité infantile de leurs enfants, en favorisant l'apparition de maladies génétiques. Pour preuve : les onze enfants que Louis XIV eut avec ses deux maîtresses, la duchesse de La Vallière et la marquise de Montespan, connurent une bien meilleure longévité.

Jadis, le mariage avait pour but de conserver le patrimoine au sein de la famille et d'empêcher les étrangers d'entrer dans le clan. Les unions consanguines étaient monnaie courante. Il fallut attendre le XIXe siècle pour expliquer l'influence néfaste d'une trop grande parenté, considérée par la suite comme un facteur de décadence dans les familles royales. En Espagne, la dynastie des Habsbourg en donna un triste exemple : les nombreuses pathologies dont souffrait Charles II et qui lui valurent le surnom d'« Ensorcelé » (*Hechizado*) n'étaient que le résultat des mariages successifs contractés « entre eux » par ses ascendants.

47.

Pourquoi la tsarine Catherine Ire était-elle une ancienne esclave ?

La tsarine Catherine Ire a régné sur la Russie de 1725 à 1727. Épouse du célèbre Pierre le Grand, elle était d'origine extrêmement modeste et connut un destin exceptionnel. Durant sa jeunesse, elle avait même été victime de l'asservissement qui perdurera en Russie jusqu'à la seconde moitié du XIXe siècle. Retour sur une incroyable épopée.

Marfa Skavronskaïa, la future Catherine Ire, naît en 1684 en Livonie (actuelle Lettonie) alors sous contrôle suédois. Très tôt orpheline, elle est placée par sa tante comme servante dans la ville de Marienbourg. Elle entre au service d'un pasteur, qui fut le traducteur de la Bible en letton mais ne se soucia jamais d'éduquer Marfa, qui restera illettrée toute sa vie. La beauté exceptionnelle de la jeune femme sera à la fois sa chance et sa malédiction. Lorsqu'en 1700 éclate la grande guerre du Nord opposant la Russie à la Suède, Marfa est victime d'un viol. Déshonorée, elle est cependant demandée en mariage par un soldat suédois du nom de Jean Rabe. Mais leur couple ne dure que quelques jours, car Rabe est porté disparu après la prise de Marienbourg par les Russes.

Devenue captive, Marfa est réduite à l'état d'esclave et contrainte à la prostitution, avant d'être achetée par un chef militaire russe, Alexandre Menchikov, conseiller de Pierre le Grand. Amoureux, il l'emmène pour l'épouser à Moscou où le tsar tombe à son tour sous le charme de Marfa et en fait aussitôt sa maîtresse. Convertie à la religion orthodoxe en 1705, cette dernière répond désormais au nom de Yekaterina Alexeïevna. Après avoir obtenu son divorce, le tsar décide d'épouser Catherine, le 8 novembre 1707, mais dans le plus grand secret, compte tenu de ses origines.

En 1711, Catherine va jouer un grand rôle dans l'histoire de la Russie. Cette année-là, en campagne contre l'Empire ottoman, Pierre et son armée se retrouvent piégés près de la rivière Prout. Catherine, qui l'accompagne, use alors de ses habiles talents de négociatrice et donne aux Turcs tous ses bijoux afin que le grand vizir accepte de battre en retraite. Cet événement et la naissance de leur fille conduisent Pierre le Grand à épouser Catherine l'année suivante, cette fois officiellement. Ils auront six autres enfants, dont la future Élisabeth Ire qui deviendra impératrice de Russie vingt ans plus tard. L'ancienne esclave est sacrée tsarine en 1724.

Malade, Pierre le Grand tombe dans le coma en janvier 1725, sans avoir eu le temps de désigner son héritier. Lorsqu'il meurt le 8 février, Catherine est choisie pour lui succéder, grâce à l'appui de son ancien amant Menchikov. Mais elle ne régnera guère, laissant à ce dernier l'essentiel du pouvoir, et mourra deux ans plus tard, à l'âge de quarante-trois ans.

48.

Pourquoi Louis XV
a-t-il dû se résoudre à épouser une princesse de petite noblesse ?

Aux XVIIe et XVIIIe siècles, les rois de France avaient pour coutume de n'épouser que des princesses de sang royal, filles de rois d'Espagne (Anne d'Autriche, Marie-Thérèse) ou d'empereurs germaniques (Marie-Antoinette). Seule et unique exception : Louis XV, qui épousa Marie Leczinska, la fille d'un roi de Pologne déchu et sans le sou. Quelles furent ses motivations ?

Seul descendant direct du « Roi-Soleil », Louis XV est couronné roi de France en 1722 à l'âge de douze ans. Trois ans plus tard, son entourage est inquiet, car la santé du souverain est fragile. Son conseiller, le duc de Bourbon, sait que si le jeune roi meurt sans héritier, le trône reviendra à son rival, le duc d'Orléans, fils du défunt régent. La conclusion s'impose d'elle-même : Louis XV doit engendrer au plus vite un futur dauphin. Néanmoins, les choses ne sont pas si simples. Comme ses deux prédécesseurs, le jeune roi de France a été fiancé à l'infante d'Espagne – mais Marie Anne Victoire n'a que sept ans ! Qu'à cela ne tienne, le duc de Bourbon rompt les fiançailles, renvoie en Espagne la fiancée éconduite et se met en quête d'une épouse nubile.

L'affaire étant pressée, le duc de Bourbon ne retient sur sa liste de prétendantes que les princesses catholiques en âge d'enfanter. Après plusieurs défections de candidates prestigieuses, et sur les conseils insistants de sa maîtresse, la marquise de Prie, le conseiller porte finalement son choix sur la fille d'un ancien roi de Pologne, une jeune femme de vingt-deux ans, qui a reçu une brillante éducation. Outre le polonais, elle maîtrise le français, l'allemand et même le latin ! En réalité, Marie Leczinska n'a qu'un seul défaut : un père déchu de son trône quinze ans plus tôt et ruiné. Mais la raison d'État passe avant tout, et Louis XV est contraint d'accepter cette mésalliance avec une épouse de sept ans son aînée. À la cour, on fait triste figure à l'idée de rencontrer cette princesse au pedigree bien peu reluisant.

Mais les courtisans vont bien vite réviser leur jugement. Car le royal adolescent tombe instantanément amoureux de la jolie Polonaise. Leur mariage est célébré à Fontainebleau le 5 septembre 1725 et, dès le 14 août 1727, Marie accouche de deux jumelles. En dix ans, elle donnera dix enfants à Louis XV, qui lui restera fidèle durant les sept premières années de leur union – ce qui constitue un véritable record dans un milieu aussi libertin que le Versailles de l'époque. La comtesse de Mailly, la Pompadour, la Du Barry feront chacune leur place dans le cœur et le lit du roi. Cependant, épuisée par ses accouchements et fausses couches successives, la reine en aurait pris son parti avec un certain soulagement : « *Eh quoi, toujours coucher, toujours grosse, toujours accoucher !* »

L'union de Louis XV à Marie Leczinska fut peut-être une sous-alliance, mais certainement pas une mésalliance. Car en dépit des adultères du roi, le couple parvint à maintenir un *modus vivendi* au sein d'un Versailles gangrené par les intrigues. À sa mort, en 1768, la vieille souveraine fut pleurée par un peuple de France qui avait fini par surnommer cette étrangère « *notre bonne Reine* ». Elle restera également dans l'Histoire comme la dernière reine de France à mourir avec sa couronne.

49.

Pourquoi les aristocrates russes parlaient-ils français ?

Ceux qui ont lu le célèbre livre de Léon Tolstoï, *Guerre et Paix*, auront remarqué que tous les aristocrates russes du XIXe siècle parlaient plus naturellement français que russe. Quelle est la raison d'une telle étrangeté ?

L'initiateur de cette francophilie russe est le tsar Pierre le Grand. Lorsqu'il commence à gouverner la Russie en 1694, il est animé par un seul but : occidentaliser et moderniser son pays, qu'il juge profondément arriéré. Or, le russe est une langue exclusivement orale, la langue écrite étant réservée à la liturgie (le *slavon* d'église), à une époque où la France de Louis XIV rayonne en Europe dans les arts, la culture et les sciences.

Fasciné par la France, Pierre le Grand s'y rend en 1717 pour un voyage officiel. Il demande à découvrir la bibliothèque Mazarine, la Sorbonne et même l'Académie française. Il est surtout subjugué par sa visite à Versailles. C'est tout naturellement qu'il fait appel à un architecte français, Alexandre Le Blond, pour la construction de son château de Peterhof, son « Versailles russe ». De retour dans sa patrie, le tsar envoie ses officiers étudier en France, invite ingénieurs et artistes français à Saint-Pétersbourg, et impose une éducation « à la française » à ses enfants. Par mimétisme, les grandes familles aristocratiques engagent des précepteurs et des cuisiniers français et apprennent la langue de Molière.

Lorsque la fille de Pierre le Grand, Élisabeth Ire, succède à son père en 1741, c'est une tsarine pénétrée de culture française qui est à la tête du pays. Son règne marque véritablement le début de l'usage du français à la cour de Russie, qui perdurera jusqu'en 1917. Elle y invite la Comédie-Française et impose l'usage officiel des termes *empereur* et *impératrice*, même si le peuple russe continue à utiliser les mots « tsar » et « tsarine ». C'est sous le règne de sa belle-fille, Catherine II, que l'influence de la culture française à la cour de Russie atteint son zénith, notamment grâce aux philosophes des Lumières, avec lesquels la tsarine entretient une correspondance assidue. Diderot sera ainsi reçu à la cour de la Grande Catherine. Langue officielle de la cour, le français est devenu le signe distinctif de la noblesse russe : c'est ainsi que « kniaz » est remplacé par *prince* et « graf » par *comte*.

Jusqu'à la Première Guerre mondiale, les « Mademoiselles », comme on appelait les préceptrices venues de France, feront fureur dans les familles aisées. Né à l'aube du XXe siècle, Nabokov ne cachera pas qu'il devait sa passion pour notre littérature à sa chère gouvernante. *Mademoiselle O*, sa seule nouvelle écrite directement en français, évoque ce personnage hors norme de manière cruelle et sensible.

50.

Pourquoi la Première Guerre mondiale n'était-elle pas la première ?

La Première Guerre mondiale doit son nom au fait qu'elle impliqua une multitude de protagonistes et que les combats se déroulèrent non seulement en Europe, mais également dans les colonies africaines et au Moyen-Orient. Si cette guerre a bien été mondiale, en revanche elle ne fut pas la première.

Le premier conflit d'envergure mondial s'est en fait déroulé un siècle et demi auparavant : il s'agit de la guerre de Sept Ans qui a débuté en 1754 en Amérique du Nord, avant de se répandre deux ans plus tard en Europe et à travers le monde. Comme la Première Guerre mondiale, le conflit a divisé les principaux États européens en deux blocs antagonistes, au gré d'alliances jusqu'alors inédites. D'un côté, l'Angleterre, la puissante Prusse de Frédéric II avec ses satellites, et le Portugal. De l'autre, la France et l'Autriche, alliées à la Russie, la Suède, l'Espagne et la Saxe. La guerre fait rage en Europe, mais également dans les territoires que ces pays possèdent outre-mer, véritables enjeux du conflit : en Amérique, dans les Caraïbes, en Inde, aux Philippines et dans certains comptoirs africains.

Tout commence dans les forêts du Nouveau Monde. Une délégation française subit l'attaque d'une troupe britannique menée par un adjudant américain de vingt-deux ans dont on reparlera : George Washington. La France est scandalisée par l'assassinat du chef de sa délégation, Jumonville. Ne parvenant pas à vaincre sur cette terre américaine, où la plupart des tribus indiennes luttent du côté français, Londres ordonne la saisie de trois cents navires de commerce français dans différents ports à travers le monde. Le conflit devient international.

La guerre de Sept Ans est marquée par des batailles d'une violence extrême, avec un taux de mortalité jusque-là inégalé. On dénombre 140 000 soldats tués, auxquels il faut ajouter les morts civils, plus nombreux encore. Car le conflit a conduit les Anglais, par mesure de précaution, à déporter la totalité de la population acadienne francophone. Cet exode, appelé le Grand Dérangement, concerne sept à huit mille personnes, dont une grande partie ne survivra pas au voyage, succombant à la faim ou aux maladies.

La guerre de Sept Ans se solde par une lourde défaite des Français. En Amérique du Nord, la France renonce à la Nouvelle-France et ce qui lui reste de la Louisiane, ne conservant que le petit archipel de Saint-Pierre-et-Miquelon. Aux Indes, elle cède à l'Angleterre la quasi-totalité de ses possessions, hormis cinq comptoirs isolés : Pondichéry, Chandernagor, Yanaon, Karikal et Mahé. Elle récupère cependant Belle-Île, la Martinique, la Guadeloupe et ses comptoirs d'Afrique (dont Saint-Louis du Sénégal) et conserve Saint-Domingue (aujourd'hui Haïti). Signé en 1763, le traité de Paris aura fait définitivement basculer l'histoire du XVIIIe siècle en faveur de l'Angleterre.

51.

Pourquoi la Corse est-elle devenue française ?

Depuis deux siècles et demi, le destin politique de la Corse est entièrement lié à celui de la France. Pourquoi l'île de Beauté, après cinq cents ans de colonisation génoise, n'a-t-elle pas été rattachée à l'Italie, comme sa voisine sarde ? Et comment est-elle devenue française ?

Annexée par la république de Gênes depuis la bataille de la Meloria en 1284, la Corse se révolte en décembre 1729 en raison d'une trop lourde pression fiscale. Pour mater la rébellion, les Génois font appel à l'empereur germanique Charles VI de Habsbourg, qui envoie 8 000 hommes sur place. Mais la guerre reprend en 1734, à l'initiative du général Hyacinthe Paoli. L'année suivante, les notables de l'île se réunissent à Orezza et déclarent l'indépendance du royaume de Corse. Ils le dotent même d'une Constitution. Refusé par le roi d'Espagne, le trône est brièvement occupé par un Allemand, Théodore de Neuhoff, seul roi corse de l'Histoire, entre 1736 et 1738. Les insurgés corses reçoivent par ailleurs le soutien de l'Angleterre qui tente de prendre pied en Méditerranée.

Or l'ingérence britannique n'est pas du tout du goût de la France. En conséquence, celle-ci propose son aide aux Génois et pacifie l'île en 1739. En 1755, l'insurrection de l'île reprend, menée cette fois par Pascal Paoli, fils de Hyacinthe, qui parvient à repousser les Génois. Il fait voter une nouvelle Constitution, révolutionnaire pour l'époque – sans doute la première Constitution écrite de l'Histoire –, qui accorde par exemple le droit de vote aux femmes ! L'incapacité de Gênes à contrôler l'île de Beauté incite les Français à les supplanter. L'événement déclencheur a lieu en 1763, lorsque Louis XV décrète l'interdiction de la Compagnie de Jésus. Les jésuites se réfugient alors à Gênes avant de s'établir en Corse, provoquant l'indignation des résidents Français, dont le roi ordonne en représailles l'évacuation immédiate de toutes leurs troupes de l'île, laissant les Génois seuls face aux insurgés.

Pour apaiser les tensions, la république de Gênes propose de céder à la France ses droits sur la Corse. Conseillé par le duc de Choiseul, Louis XV voit dans cette annexion l'opportunité de faire main basse sur les forêts et le sol fertile de l'île, et de compenser ainsi la perte récente du Canada. Le 15 mai 1768, la Corse devient française par le traité de Versailles. Vingt mille Français débarquent alors sur l'île pour liquider la rébellion toujours menée par Paoli. Ce dernier est défait le 9 mai 1769 à la bataille de Ponte Novu et s'exile en Angleterre. Les Français confient alors le gouvernement de l'île au comte Louis de Marbeuf. En 1790, la Corse devient un département français et Pascal Paoli, autorisé par les révolutionnaires à rentrer, est nommé commandant de l'île.

Déchu par la Convention en 1793, Paoli tente de soulever la Corse et la livre même aux Anglais. Elle sera finalement reconquise en 1796 par l'armée d'Italie, commandée par un certain… Napoléon Bonaparte !

52.

Pourquoi le Québec est-il resté francophone ?

Seule province du Canada dont le français est l'unique langue officielle, le Québec incarne le dernier vestige de la colonisation française en Amérique, comme en témoigne son drapeau à fleur de lys. Comment cet îlot de descendants français, intégré dans un État majoritairement anglophone, a-t-il pu conserver sa langue et son identité au fil des siècles ?

Lorsque les Français commencent à s'établir au Canada, au début du XVIIe siècle, avec Samuel de Champlain, fondateur de Québec, les colons, qui ne sont alors que quelques centaines, sont exclusivement des hommes. C'est sous le règne de Louis XIV que l'émigration s'intensifie : le roi envoie neuf cent vingt jeunes filles célibataires, surnommées « les filles du roi », prenant à sa charge le voyage et la dot symbolique de chacune d'entre elles, le plus souvent orphelines ou d'origine modeste. Durant la guerre de Sept Ans, Québec, capitale de « la Nouvelle-France », tombe aux mains des Britanniques. À l'issue du traité de Paris, ces derniers héritent de toutes les possessions françaises sur le continent américain. Jusque-là majoritaires au Canada, les colons français deviennent ainsi des sujets britanniques de second rang, d'autant que, pour rééquilibrer le rapport de force démographique, les Britanniques installent des milliers de nouveaux colons anglophones. Et pour mieux contraindre les francophones à renoncer à leur culture d'origine, les nouveaux maîtres du pays interdisent l'usage du français et imposent l'abjuration de la religion catholique pour intégrer la fonction publique. Mais un événement extérieur va venir fort à propos sauver l'identité des francophones.

En effet, en 1773, éclate la *Boston Tea Party*. Pour résister aux insurgés, le roi d'Angleterre, Georges III, choisit de gagner l'appui des Français du Canada et promulgue, le 22 juin 1774, l'Acte de Québec qui quadruple le territoire de la province, restaure les lois civiles, garantit la pratique de la religion catholique et l'usage du français. Cependant, au lendemain de l'indépendance des États-Unis, le Canada voit affluer des dizaines de milliers de colons anglophones attachés à la couronne britannique et qui refusent l'Acte de Québec ! Pour apaiser les tensions entre francophones et anglophones, Georges III promulgue alors, le 10 juin 1791, l'Acte constitutionnel qui partage le Canada en deux provinces séparées par la rivière des Outaouais : à l'ouest le Haut-Canada, à dominante anglophone (qui deviendra l'Ontario), et à l'est le Bas-Canada (le Québec) qui sera réservé aux francophones. L'identité québécoise est désormais protégée. Deux siècles plus tard, le 24 juillet 1967, le général de Gaulle s'écrira devant « la Belle Province » : « *Vive le Québec libre ! Vive le Canada français et vive la France !* »

Si les puristes se plaignent régulièrement de l'invasion de notre langue française par les anglicismes, il faut comprendre que ce combat linguistique est une question de survie au Québec. Lorsque les Québécois vont *magasiner* plutôt que « faire du shopping », lorsqu'ils envoient un *courriel* plutôt qu'un « email », ce n'est pas une coquetterie de leur part, loin s'en faut. C'est un acte de résistance !

53.

Pourquoi la guillotine fut-elle considérée comme un progrès ?

Instrument de presque toutes les exécutions capitales que connut notre pays durant près de deux siècles, la guillotine restera à jamais associée à la Terreur révolutionnaire et à ses dizaines de milliers de morts. C'est oublier qu'elle fut à l'origine considérée comme un progrès par les médecins et les humanistes, et voici pourquoi.

Avant la Révolution, les méthodes d'exécution des condamnés à mort étaient fonction de la nature de leur crime et surtout de leur rang social. Certains étaient décapités à la hache, d'autres pendus, voire roués vifs (comme Mandrin, le contrebandier) ou même écartelés en cas de régicide (tel Ravaillac, l'assassin d'Henri IV). Seuls les aristocrates avaient le « privilège » d'être décapités à l'épée. Le supplice s'éternisait parfois, quand la lame était émoussée ou le bourreau maladroit, donnant lieu à des spectacles d'une extrême barbarie.

Décidé à y mettre un terme, le député Joseph Guillotin, médecin et philanthrope, propose le 1er décembre 1789, à la tribune de l'Assemblée constituante, de donner la mort par décapitation, au moyen d'un même mécanisme, à tous les condamnés, quel que soit leur rang. Son projet suscite d'abord l'hilarité et il faut attendre plus d'un an et demi pour qu'il soit à nouveau débattu, à la demande du bourreau Sanson et du député Le Peletier de Saint-Fargeau. Finalement, en septembre 1791, l'Assemblée décrète que tout condamné à mort aura désormais la tête tranchée et demande au secrétaire perpétuel de l'Académie de chirurgie, Antoine Louis, de mettre au point une machine à décapiter capable de causer une mort instantanée sans douleur. Celui-ci prend modèle sur une machine écossaise, baptisée « la veuve », dont il perfectionne le système de mise en action avec l'aide du mécanicien strasbourgeois Tobias Schmidt. Il remplace également le couperet en forme de croissant par un autre en forme de trapèze – selon une légende, l'idée aurait été suggérée par… Louis XVI, réputé excellent bricoleur !

La machine à décapiter est testée avec succès sur des moutons, puis sur des cadavres. Elle est employée pour la première fois le 25 avril 1792 sur un voleur de grand chemin, Nicolas-Jacques Pelletier. Le nom de « guillotine » aurait été soufflé par des journalistes, qui avaient pris en grippe le député Guillotin – au grand regret de l'intéressé, qui refusera toute sa vie d'assister à la moindre exécution. Utilisée massivement durant la Terreur, décapitant près de 17 000 condamnés à mort, la guillotine s'exportera durablement dans quelques provinces allemandes (telles que la Bavière) avec les conquêtes de l'Empire.

Elle servira pour la dernière fois en France en 1977. Après l'abolition de la peine de mort en 1981, la sinistre machine sera définitivement rangée.

54.

Pourquoi notre hymne national s'appelle-t-il la *Marseillaise* ?

Notre hymne national est célèbre dans le monde entier. Sa mélodie a même été choisie par les Beatles pour introduire une de leurs chansons, *All you need is love*. Composé à Strasbourg et initialement intitulé « Chant de guerre pour l'armée du Rhin », pourquoi notre hymne s'appelle-t-il donc la *Marseillaise* ?

Le 20 avril 1792, l'Assemblée législative de la jeune monarchie constitutionnelle française déclare la guerre à l'Autriche. Cinq jours plus tard, le maire de Strasbourg, le baron Frédéric de Dietrich, demande à un capitaine de génie en garnison dans la ville, un certain Rouget de Lisle, de composer un chant patriotique pour galvaniser les soldats de l'armée du Rhin, créée quelques mois plus tôt. Musicien à ses heures perdues, le capitaine se met à la tâche et compose le chant en une nuit. D'aucuns prétendront que la mélodie lui fut fortement inspirée par l'air de *La Marche d'Assuérus* de Jean-Baptiste-Lucien Grisons, et par le premier mouvement du *Concerto n° 10 pour deux pianos* de Mozart. Quant aux paroles, on sait qu'elles lui furent soufflées par une ode de Boileau, et par une affiche de la Société des Amis de la Constitution, dont le titre proclamait : « *Aux armes, citoyens ! L'étendard de la guerre est déployé.* »

Dès le lendemain, Rouget de Lisle joue son « Chant de guerre pour l'Armée du Rhin » au commanditaire. Dietrich est immédiatement séduit. La chanson se propage aussitôt dans la ville et parvient même jusqu'à Montpellier, grâce aux bons soins d'un colporteur. Là-bas, une partition est transmise à un certain François Mineur, volontaire du bataillon de l'Héraut, lequel s'apprête à rejoindre Marseille. C'est dans cette ville, à la fin d'un banquet, que Mineur interprète le chant, transportant littéralement le public. Des feuillets sont ensuite distribués aux volontaires qui se préparent à gagner Paris pour combattre les ennemis de la Révolution. Durant tout le voyage, le bataillon des fédérés marseillais entonne avec ardeur le chant de l'armée du Rhin, jusqu'à son arrivée dans la capitale en juillet 1792.

Lorsque les Parisiens entendent cet hymne patriotique, ils le baptisent chant des Marseillais, et bientôt « la Marseillaise ». Entonné lors de la victoire de Valmy en septembre 1792, le chant s'impose comme le « *Te Deum* de la République ». Tombée aux oubliettes durant l'Empire et la Restauration, la *Marseillaise* resurgit lors de la Révolution de 1830 et se répand en Europe lors du Printemps des peuples de 1848, comme chant de la lutte internationaliste, cinquante ans avant l'*Internationale* ! Il faut attendre 1879 pour que le nouveau régime républicain consacre la *Marseillaise* comme hymne officiel de notre pays.

Le 14 juillet 1915, les cendres de Rouget de Lisle sont inhumées aux Invalides par le président Poincaré, presque un siècle après sa disparition. Honneur suprême à un homme qui reconnaissait lui-même être un médiocre compositeur !

55.

Pourquoi le bonnet phrygien est-il le symbole de la République française ?

Symbole républicain par excellence, le visage de Marianne apparaît sur tous les documents officiels, les timbres ou les pièces de monnaie, facilement identifiable grâce à son bonnet. Pourquoi cette coiffe, qui remonte à l'Antiquité grecque, est-elle devenue le symbole de la République française ?

Le bonnet phrygien doit son nom à la province grecque de Phrygie, d'où serait originaire Pâris, personnage de la guerre de Troie qu'on représentait ainsi coiffé. Plus tard, à Rome, un modèle ressemblant, le *pileus*, était porté par les esclaves affranchis, témoignant ainsi de leur nouveau statut. Ce symbole de la liberté a ensuite traversé les siècles, et les mers, pour devenir l'un des emblèmes des révolutionnaires américains – il figure encore de nos jours sur le sceau de l'État de New York. Cependant, en France, lorsque la Révolution de 1789 éclate, le bonnet phrygien n'apparaît pas immédiatement comme un signe de ralliement, la cocarde tricolore étant plus populaire. Ce n'est qu'à partir de 1791 qu'il commence à devenir à la mode sous le surnom de « bonnet de la liberté ».

Le 20 juin 1792, les Parisiens qui ont envahi les Tuileries tendent un bonnet rouge à Louis XVI. Pris au dépourvu, le roi accepte de s'en coiffer. Symbole de la liberté et du civisme, ce couvre-chef devient, à la chute de la monarchie, l'emblème des partisans de la république et, durant la Terreur, la Commune de Paris l'imposera même à tous les fonctionnaires. Sous le Directoire, il est progressivement abandonné, car il demeure associé au plus sanglant épisode de la Révolution.

C'est finalement grâce à Marianne, allégorie de la France, apparue dès la proclamation de la Première République, en septembre 1792, que le bonnet phrygien va définitivement s'imposer comme symbole. Au début de la IIIe République, face aux monarchistes, les républicains utilisent l'image de cette jeune femme au visage apaisé et au regard sage, pour marquer les esprits et instaurer durablement l'idée républicaine : son buste trône désormais dans toutes les mairies françaises. Et si l'on a ôté à Marianne ses attributs révolutionnaires d'antan (comme la pique), elle a néanmoins conservé son fameux bonnet, devenu l'un des symboles de la République.

Savez-vous que la tradition de la représenter sous les traits d'une célébrité du monde du cinéma ou de la télévision date seulement du XXe siècle ? Auparavant, de jolies jeunes femmes anonymes servaient de modèle à notre symbole national. Notons encore que les premières Miss France étaient des « Miss Marianne » et portaient un bonnet phrygien à la place du diadème !

56.

Pourquoi Robespierre a-t-il voulu précipiter la mort de Marie-Antoinette ?

Marie-Antoinette est guillotinée le 16 octobre 1793, dix mois après son royal époux, Louis XVI. Arrêtée lors de la chute de la monarchie, en août 1792, attendant son sort dans la prison de la tour du Temple, puis à la Conciergerie, elle fut jugée par la Convention, conformément aux vœux de Robespierre. Sa condamnation à mort, à l'issue d'un procès bâclé et expéditif, a donné lieu à une foule de commentaires. Si bien qu'aujourd'hui encore, on s'interroge sur les raisons qui ont poussé les révolutionnaires à hâter à ce point l'exécution de l'ancienne reine de France.

C'est une question à laquelle il est bien difficile de répondre autrement qu'en formulant des hypothèses. D'après certains historiens, Robespierre aurait voulu précipiter ainsi l'exécution de Marie-Antoinette en raison de son état de santé déplorable. On sait que ses cheveux avaient blanchi en une seule nuit, alors qu'elle n'était âgée que de trente-huit ans. Était-ce là le signe de sa profonde anxiété ou d'une pathologie plus grave ? Plusieurs témoignages de proches, comme ceux de sa domestique Rosalie et du comte de Fersen, établissent que, durant son séjour à la Conciergerie, nerveusement instable depuis l'arrestation à Varennes, Marie-Antoinette souffrait régulièrement de convulsions, ainsi que de fréquentes et abondantes pertes de sang. Symptômes possibles d'un cancer de l'utérus, d'un fibrome ou encore d'une endométriose… Toujours est-il que Robespierre, alerté par ces symptômes, fit examiner la prisonnière par son ami, le médecin Joseph Souberbielle. Les rapports alarmants du praticien l'auraient décidé à accélérer le procès.

Marie-Antoinette va alors faire preuve d'un extraordinaire sang-froid et d'une grande dignité devant le tribunal révolutionnaire de Billaud-Varenne qui va jusqu'à déclarer : « Une femme, la honte de l'humanité et de son sexe, la veuve Capet, doit enfin expier ses forfaits sur l'échafaud. » Face aux accusations d'inceste sur son fils de huit ans, proférées par le substitut du procureur général, Jacques Hébert, elle dévoile une émotion sincère qui bouleverse jusqu'aux plus acharnés de ses détracteurs : *« La nature se refuse à une pareille inculpation faite à une mère », déclare-t-elle, en interpellant les femmes présentes à l'audience.* Celle que certains surnommaient avec mépris *l'Autrichienne* force l'admiration de tous en épousant avec courage son rôle de martyre.

Marie-Antoinette aurait donc été précipitée sous la guillotine afin d'éviter qu'une cause naturelle ne ravisse sa mort à la Révolution. Voilà certainement l'hypothèse la plus probable aujourd'hui. Mais l'Histoire n'a sans doute pas révélé tous ses secrets !

57.

Pourquoi le drapeau français est-il bleu-blanc-rouge ?

Le drapeau français est l'un des plus anciens du monde et peu nombreux sont ceux qui en ignorent les couleurs. Mais sait-on vraiment pourquoi elles ont été choisies pour figurer sur notre étendard national ?

Au cours de l'Histoire, les souverains français ont fréquemment changé d'étendard. Durant les guerres de Religion, pour se distinguer des chefs militaires espagnols qui portaient des écharpes rouges, et des Lorrains qui en arboraient des vertes, Henri IV menait les armées royales en déployant une écharpe blanche. N'appelait-il pas d'ailleurs ses soldats à rallier son célèbre « panache blanc » ? Peu à peu, la couleur acquiert une valeur symbolique jusqu'à devenir le symbole de la monarchie française. Au XVIIIe siècle, tous les navires de guerre français arboreront à leur tour un pavillon immaculé, emblème du royaume.

C'est la Révolution française qui instituera le drapeau tricolore. Le 12 juillet 1789, Camille Desmoulins propose aux révolutionnaires de porter une cocarde en signe de ralliement. Depuis le XIVe siècle, les couleurs de la ville de Paris sont le bleu et le rouge, et les sans-culottes parisiens affichent fièrement ces insignes bicolores. L'idée d'y adjoindre le blanc de la monarchie vient de La Fayette.

Peut-être y voyait-il aussi un rappel du drapeau américain pour lequel il avait vaillamment combattu ? Quoi qu'il en soit, le 17 juillet 1789, le marquis de La Fayette remet à Louis XVI une cocarde bleu-blanc-rouge – les trois couleurs qui représenteront désormais la nation française.

Le 24 octobre 1790, l'Assemblée constituante remplace donc le pavillon blanc de la marine de guerre française par trois bandes verticales, rouge-blanc-bleu. Il ne s'agit pas de le confondre avec le pavillon néerlandais de mêmes couleurs aux bandes horizontales. Quatre ans plus tard, le 15 février 1794, un second drapeau est adopté par décret : bleu au mât, blanc au centre et rouge flottant. Cette disposition de couleurs aurait été suggérée par le peintre Jacques-Louis David. C'est ce pavillon de marine qui a ensuite donné naissance à notre drapeau national.

D'ailleurs, sans doute l'ignorez-vous, mais en 1848, on faillit à nouveau changer de couleurs : les révolutionnaires républicains voulaient imposer un drapeau entièrement rouge, symbole de l'insoumission. C'est le poète Lamartine, chef du gouvernement provisoire, qui, grâce à son éloquence, parvint à préserver notre étendard. Laissons-lui le dernier mot : « Le drapeau rouge que vous nous rapportez n'a jamais fait que le tour du Champ de Mars, traîné dans le sang du peuple en 91 et 93, et le drapeau tricolore a fait le tour du monde avec le nom, la gloire et la liberté de la patrie ! »

58.

Pourquoi Mirabeau n'est-il plus au Panthéon ?

Le 5 avril 1791, l'Assemblée nationale constituante rend un vibrant hommage à Mirabeau, décédé trois jours plus tôt, faisant de lui le premier Français inhumé au Panthéon. En tant que président de l'Assemblée nationale, il a, il est vrai, joué un rôle historique lors du célèbre serment du Jeu de paume. Sa sépulture, pourtant, ne demeurera au Panthéon que trois ans et demi. Pourquoi cet affront posthume ?

Le 20 juin 1789, bafouant l'autorité de Louis XVI et bousculant les traditionnels états généraux, les députés du tiers état s'enferment dans une salle du château de Versailles, celle du Jeu de paume, et prêtent serment « de ne jamais se séparer et de se rassembler partout où les circonstances l'exigeraient, jusqu'à ce que la Constitution du royaume fût établie et affermie par des fondements solides ». Des gardes tentent vainement de disperser cette assemblée illicite. Et, au milieu de l'exaltation commune, Mirabeau lance alors sa célèbre harangue : « Allez dire à ceux qui vous envoient que nous sommes ici par la volonté nationale et que nous n'en sortirons que par la puissance des baïonnettes. » L'éloquence du tribun marque alors à jamais les esprits, d'autant qu'il meurt prématurément, peu de temps après, le 2 avril 1791.

Une incroyable découverte va cependant ruiner la postérité de Mirabeau l'année suivante. Après la chute de la monarchie, le 10 août 1792, un coffre-fort est retrouvé aux Tuileries, dissimulé derrière des lambris dans les appartements du roi. Ce coffre recèle des centaines de documents, dont la correspondance personnelle de Louis XVI. Révélé en novembre 1792 par le ministre de l'Intérieur Roland, son contenu va précipiter le procès du souverain.

On découvre également un échange de lettres compromettantes entre Louis XVI et Mirabeau, révélant toute la duplicité du révolutionnaire. Les députés apprennent ainsi que, tandis qu'il faisait voter la saisie des biens du clergé, Mirabeau était rémunéré par le roi, en échange de ses précieux conseils pour renforcer son pouvoir. Mirabeau suggérait notamment au roi de France de financer à l'Assemblée un groupe de députés favorables à la monarchie et de corrompre les opposants. Il allait jusqu'à envisager l'éventualité d'un coup de force qui aurait permis à Louis XVI de mettre un terme à la Révolution. La preuve flagrante de ce double jeu le discrédita totalement aux yeux des révolutionnaires. En conséquence, pour sanction posthume de sa trahison, on retira sa sépulture du Panthéon, le 21 septembre 1794.

Si Mirabeau ne fit qu'un bref séjour au Panthéon, une autre personnalité de la Révolution mériterait quant à elle d'y résider pour l'éternité. C'est en tout cas le résultat d'un sondage lancé en 2013 pour déterminer envers quelles nouvelles personnalités la Patrie devrait se montrer reconnaissante. Et c'est une femme qui est arrivée largement en tête du classement : Olympe de Gouges, auteure d'une « Déclaration des droits de la femme et de la citoyenne », guillotinée en 1793 pour avoir dénoncé l'esclavage et prône l'égalité entre les sexes. Il est grand temps que l'Histoire la reconnaisse enfin !

59.

Pourquoi Bonaparte a-t-il lancé l'expédition d'Égypte ?

Le 21 juillet 1798, Napoléon Bonaparte défait les Mamelouks d'Égypte, non loin des pyramides de Gizeh. Cette fameuse « bataille des Pyramides » est restée célèbre grâce à la harangue de Bonaparte : « *Soldats, songez que du haut de ces pyramides, quarante siècles vous contemplent !* » Elle n'a pourtant pas empêché l'expédition d'Égypte d'aboutir à un fiasco militaire, le premier de la carrière de Napoléon. Prisonnière de sa conquête, l'armée française d'Égypte se rendra aux Anglais en 1801. Mais qu'étions-nous donc allés faire là-bas ?

À la fin de l'année 1797, fort de la campagne victorieuse de Bonaparte en Italie et de la signature du traité de Campo Formio, le Directoire a désormais des ambitions plus grandes encore. Il entend bien affaiblir la suprématie britannique au profit de la France. Ne pouvant envahir l'île pour attaquer les Anglais de front, le ministre des Affaires étrangères Talleyrand suggère de leur bloquer l'accès à la route des Indes en conquérant l'Égypte. Voilà une proie de choix, compte tenu de sa faible population – 3 millions d'habitants – et de sa position stratégique, à la jonction de l'Asie Mineure et de l'Afrique, entre la Méditerranée et la mer Rouge.

Province de l'Empire ottoman bénéficiant d'une large autonomie, l'Égypte est alors dirigée d'une main de fer par une caste militaire, les Mamelouks, coupables de nombreuses exactions envers les négociants français et les minorités chrétiennes que la France était chargée de protéger. Les Français entendent ainsi apporter les idées progressistes de la Révolution à un pays qu'ils jugent rétrograde. D'autre part, le Directoire voit dans la conquête de l'Égypte la première étape de la constitution d'un empire méditerranéen, dont l'idée avait germé avec le succès de la campagne d'Italie. Talleyrand envisage dès 1797 la colonisation du Maghreb, puis du Proche-Orient, afin de faire de la Méditerranée une mer française.

Enfin, des considérations culturelles sont également à l'origine de l'expédition, car il existe à cette époque une véritable fascination pour l'Orient, notamment pour l'Égypte, berceau de la civilisation. Outre les 35 000 hommes engagés, avec la totalité de la flotte française, plus d'une centaine de scientifiques et d'artistes vont ainsi accompagner l'expédition, dans le but d'étudier les vestiges de l'Égypte ancienne. Le compte rendu de ce gigantesque inventaire des richesses égyptiennes, publié à partir de 1809 dans les vingt-trois tomes de *La Description de l'Égypte*, donnera naissance à l'égyptologie.

On a beaucoup dit que l'expédition d'Égypte avait été décidée par le Directoire pour éloigner du pouvoir l'ambitieux Bonaparte et l'empêcher de fomenter un coup d'État. Mais compte tenu du nombre de forces engagées dans l'expédition, il est difficile de croire qu'on ait simplement voulu se débarrasser d'un gêneur. En 1822, un autre Français réalisera la conquête de l'Antiquité égyptienne en déchiffrant son écriture hiéroglyphique : Champollion.

60.

Pourquoi la France a-t-elle été le premier pays à passer au système métrique ?

L'usage du mètre ou du kilogramme nous paraît aujourd'hui si évident qu'on a peine à croire que c'est une invention récente, et qui plus est française. Comment et dans quelles circonstances a-t-on établi ces normes ?

Jusqu'au XVIIIe siècle, il n'y avait aucun système de mesure international, ni même national. En France, compte tenu des disparités régionales, il existait plusieurs centaines de façons de mesurer ou de peser. Elles variaient d'une ville, d'une corporation ou d'un produit à l'autre. Ainsi, les planchers se mesuraient en pieds, les tapis en aunes et les terres agricoles en arpents. Les inévitables conversions engendraient souvent des erreurs de calcul et représentaient un véritable frein pour le commerce. Les rois de France ont tenté à maintes reprises d'unifier ces systèmes, qui portaient préjudice à la compétitivité du royaume – en vain.

Il faudra attendre la Révolution et sa volonté d'uniformiser le pays pour que la réforme soit menée à bien. Le 8 mai 1790, à la demande de Talleyrand et de Condorcet, l'Assemblée constituante charge l'Académie des sciences d'étudier la création d'une échelle de division – la plus convenable et précise possible – pour déterminer des règles de référence en matière de poids, mesure et monnaie, qui s'appliqueraient dans tout le pays.

Trois ans plus tard, celle-ci rend un rapport proposant de nouvelles bases de calcul, ainsi qu'un système décimal permettant de convertir facilement les unités. Le mètre (du grec « metron » signifiant « mesure ») est alors calculé comme la dix-millionième partie du quart d'un méridien terrestre. À partir du mètre, sont ensuite définies les unités de masse (tel le « gravet », ancêtre du « gramme ») et de volume (comme le « cade », qui deviendra le « cube »).

Le système métrique ainsi organisé est définitivement adopté par la Convention, le 7 avril 1795. Pour calculer la longueur du méridien dont dépend le mètre, deux savants, Delambre et Méchain, ont été désignés en 1792 pour effectuer la mesure en droite ligne de la distance Dunkerque-Barcelone. Ce travail titanesque s'achève en 1799 et aboutit à la fabrication des premiers étalons en platine du mètre et du kilogramme. Le système métrique est rendu obligatoire en France en 1801, et ne sera ensuite aboli que pour une courte période, sous la Restauration.

Ce sont les Pays-Bas qui le réadopteront les premiers en 1816, avant la France en 1837. En 1875 est créée la Convention du Mètre qui rassemble 17 États et dont la fonction principale est de promouvoir le système métrique. Celui-ci se répandra progressivement dans le monde entier, à l'exception des territoires anglo-saxons où la transition métrique ne commencera qu'à la fin du XXe siècle. Aujourd'hui, le système métrique n'a toujours pas été officialisé aux États-Unis et, depuis quelques années, on assiste même à une diffusion des mesures anglo-saxonnes, notamment dans l'informatique (les écrans d'ordinateurs sont par exemple définis en pouces). Est-ce à dire que notre bon vieux système métrique serait menacé ?

61.

Pourquoi la capitale des États-Unis n'est-elle pas New York, mais Washington ?

Première ville des États-Unis depuis la fin du XVIIIe siècle, New York possède toutes les caractéristiques d'une ville mondiale. Siège de l'ONU, souvent surnommée « la capitale du monde », elle n'est pourtant pas celle des États-Unis – elle n'est d'ailleurs pas même la capitale de l'État qui porte son nom ! Pourquoi le siège des institutions américaines est-il à Washington et non à New York ?

Avant Washington, huit villes ont pu être considérées comme capitale des États-Unis. Le critère : avoir accueilli une ou plusieurs réunions du Congrès américain entre 1774 et 1800. Il s'agit de Philadelphie, Baltimore, Lancaster, York, Princeton, Annapolis, Trenton – et New York, où le Congrès s'est réuni entre 1785 et 1790. C'est d'ailleurs dans la « Big Apple », au balcon du *Federal Hall*, dans le sud de Manhattan, que le premier président américain, George Washington, a prononcé son discours d'investiture et prêté serment sur la Bible en 1789. L'année suivante, à la demande de Thomas Jefferson, le père de l'indépendance, le Congrès quitte New York et s'installe dans la ville rivale de Philadelphie.

C'est à Philadelphie, seize ans plus tôt, que s'était réuni le premier Congrès avec les représentants des fameuses treize colonies. Là aussi que Jefferson avait signé en 1776 la Déclaration d'indépendance. Philadelphie demeure donc la capitale provisoire des États-Unis jusqu'en 1800. Cette année-là, le Congrès se fixe cependant dans la ville de Washington, créée pour l'occasion.

La décision de doter les États-Unis d'une véritable capitale, fondée *ex nihilo*, avait été prise en 1787. Baptisée en l'honneur du premier président américain, la nouvelle ville sera créée sur un site marécageux des bords du Potomac, à la frontière de la Virginie et du Maryland, afin d'établir un équilibre entre les États du Nord et ceux du Sud.

Ce territoire fédéral administré par le gouvernement central est baptisé *District of Columbia*, en hommage à Christophe Colomb. Le plan géométrique de la nouvelle capitale, avec ses rues en damier ou en oblique et ses places circulaires, est dessiné par un architecte français, Pierre Charles L'Enfant, ancien compagnon de route de La Fayette lors de la guerre d'Indépendance. À l'origine, tous les bâtiments administratifs sont édifiés à l'intérieur du *Triangle fédéral*, formé par le *Capitole,* siège du Congrès, la *Maison-Blanche*, résidence présidentielle, et le *Memorial* de George Washington, un obélisque de presque 170 mètres de haut. C'est dans cette ville encore en construction, d'à peine trois mille habitants, que s'installe le président John Adams en juin 1800. Il sera rejoint au mois de novembre par le Congrès.

Depuis cette date, Washington est demeurée la capitale des États-Unis. Quant à New York, elle peut toujours se vanter d'être la plus peuplée des villes américaines et la plus vaste, la plus cosmopolite métropole de la planète.

62.

Pourquoi le drapeau britannique s'appelle-t-il l'Union Jack ?

Lorsque les drapeaux de l'Angleterre et de l'Écosse se superposent, à l'occasion d'un match de rugby du Tournoi des Six Nations, on ne peut s'empêcher de remarquer une similitude intéressante dans leur graphisme. C'est aussi le sentiment qui se dégage en regardant celui de l'Irlande. Comment l'étendard de l'Angleterre s'est-il constitué et pour quelle raison a-t-il été popularisé sous le sobriquet d'*Union Jack* ?

Nous sommes en 1603. Le 24 mars s'éteint la reine d'Angleterre Élisabeth Ire. Surnommée la « reine vierge » et sans héritier, son successeur légitime est son plus proche parent, le roi d'Écosse Jacques VI Stuart. Le fils de la reine d'Écosse Marie Stuart devient donc roi d'Angleterre succédant à celle qui avait condamné sa mère à mort. Mais Jacques Ier souhaite apaiser les haines : c'est ainsi qu'Élisabeth et Marie, les deux reines ennemies, sont inhumées à Westminster, à seulement quelques mètres de distance. Pour consacrer l'union des deux couronnes (même si les deux pays restent indépendants), un nouveau drapeau est également créé, en 1606.

Le nouvel étendard combine le drapeau de l'Angleterre (croix rouge sur fond blanc, la croix de son saint patron, Georges) et celui de l'Écosse (croix en X blanche sur fond bleu marine, la croix du saint patron écossais, André). En Écosse, certaines voix s'élèvent, qui déplorent que la croix anglaise soit représentée sur la croix écossaise ! Dans un premier temps, ce nouveau drapeau est réservé aux pavillons des navires royaux. Ce n'est qu'après l'Acte d'Union de l'Angleterre et de l'Écosse, en 1707, qu'il est adopté par la totalité de l'armée.

En 1800, un nouvel Acte d'Union rattache l'Irlande au Royaume-Uni. Pour symboliser cette association, un autre drapeau est dessiné l'année suivante. On incorpore à l'étendard britannique la croix rouge sur fond blanc de saint Patrick, patron de l'Irlande : l'*Union Jack* est né ! Mais pourquoi ce nom ? On peut évidemment y voir une référence au roi Jacques Ier, qui unit l'Écosse à l'Angleterre et créa la première version du drapeau. Les historiens avancent deux autres hypothèses. *Jack*, surnom des paysans (comme son équivalent français, « Jacques », qui donna son nom aux *jacqueries*), pourrait désigner le peuple anglais. Cependant, l'explication la plus vraisemblable renvoie au vocabulaire de la marine, dans lequel le terme *jack* signifie « pavillon ». Après l'indépendance de l'Irlande en 1922, la question du maintien de la croix de saint Patrick sur l'Union Jack s'est posée. Mais les autorités britanniques ont refusé de modifier le drapeau, notamment parce que l'Irlande du Nord restait rattachée au Royaume-Uni.

Si l'Union Jack symbolise l'association des quatre nations formant le Royaume-Uni, il ne comprend pas le drapeau du pays de Galles. Lors de la création du drapeau au XVIIe siècle, le pays de Galles était déjà intégré au royaume d'Angleterre depuis près de cinq siècles. Pour que l'Union Jack symbolise vraiment les quatre nations britanniques, certains Gallois proposent aujourd'hui de faire figurer au centre du drapeau un dragon, symbole du pays !

63.

Pourquoi la *Symphonie héroïque* de Beethoven a-t-elle été rebaptisée ?

La *Troisième Symphonie*, dite *Héroïque*, de Ludwig van Beethoven est moins célèbre que la *Cinquième* ou la *Neuvième Symphonie*. Elle n'en reste pas moins historiquement importante pour deux raisons. D'abord, parce qu'elle est considérée par les musicologues comme l'une des premières œuvres annonçant le mouvement romantique. Ensuite, parce que, dédiée à l'origine à Napoléon Bonaparte, elle fut rebaptisée par le compositeur lui-même. Explications.

Nous sommes en 1804. Depuis deux ans, Ludwig van Beethoven travaille sur sa troisième symphonie. Il l'achève durant l'été, peu de temps après l'avoir entendue exécutée par l'orchestre du prince de Lobkowicz, lors d'une répétition privée à Vienne. Acquis aux valeurs de liberté et d'égalité promues par la Révolution française, le compositeur allemand est en outre un fervent admirateur de Bonaparte. Le Premier consul étant alors pour lui l'incarnation de ces idéaux, Beethoven décide de lui dédier sa symphonie, la baptisant : « Symphonie Bonaparte ».

Cependant, quelques mois plus tard, le même Bonaparte se fait sacrer empereur des Français, ce que Beethoven considère comme une trahison. Aussitôt, le compositeur allemand débaptise sa symphonie et raye le nom de son héros de la page titre avec une telle colère qu'il en déchire le papier et brise sa plume ! Lorsqu'en 1806 sa partition est officiellement publiée, la symphonie est intitulée : « *Symphonie Héroïque, composée en mémoire d'un grand homme* ». Beethoven a-t-il finalement voulu conserver l'esprit de sa dédicace d'origine ? Nullement. On apprendra par la suite que le grand homme en question n'était autre que son mécène, le prince de Lobkowicz. Mélomane et violoniste à ses heures, ce prince de Bohême apporta longtemps son soutien financier à Beethoven, s'associant même avec deux autres aristocrates pour lui assurer une rente viagère.

Toutefois, selon l'historien spécialiste de Napoléon Thierry Lentz, si la « Symphonie Bonaparte » a été débaptisée par Beethoven, ce n'est pas en raison du sacre de Napoléon, mais plutôt à la suite de la campagne d'Autriche de 1805 (qui aboutira à la bataille d'Austerlitz). Beethoven aurait alors craint de froisser la haute société viennoise, qui le portait aux nues, en dédiant sa symphonie à son plus grand ennemi. Le nom de Bonaparte n'était plus politiquement correct.

Quoi qu'il en soit, la *Troisième Symphonie* conservera à jamais une veine napoléonienne, démontrant une formidable énergie créative.

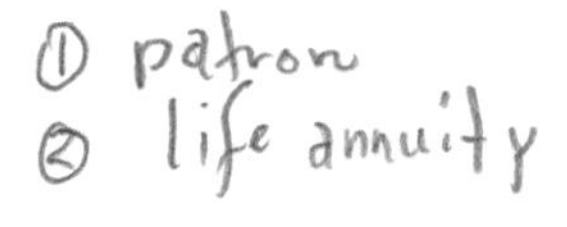

64.

Pourquoi le président de la République française porte-t-il aussi le titre de coprince ?

Cela peut sembler anachronique, mais le président de la République française porte – aujourd'hui encore – le titre pour le moins insolite de *coprince d'Andorre*. Quels en sont le sens et l'incroyable raison ?

Situé dans les Pyrénées, entre l'Espagne et la France, la principauté d'Andorre, le plus petit État du monde, possède l'autre particularité d'être dirigée par deux chefs d'État, appelés coprinces : l'évêque d'Urgell (en Catalogne espagnole) et le chef de l'exécutif français, c'est-à-dire le président de la République. Cet étonnant partage de souveraineté trouve son origine au XIIe siècle, lorsque l'évêque du diocèse d'Urgell, chargé d'administrer Andorre et craignant de perdre le contrôle de la ville, accepte de partager le pouvoir avec une famille de la noblesse catalane, les Caboet. La suzeraineté des Caboet sur Andorre est léguée, au début du XIIIe siècle, aux comtes de Foix qui signent à Lleida, le 8 septembre 1278, un traité organisant sur tout le territoire d'Andorre une souveraineté partagée à parité de pouvoir (le *paréage*, selon le droit féodal) entre l'évêque d'Urgell et le comte de Foix. Or à la fin du XVe siècle, le comté de Foix est intégré au royaume de Navarre.

Lorsqu'au siècle suivant, Henri de Navarre (le futur Henri IV) hérite de la couronne de Navarre, en 1572, il

transforme le titre de coseigneur d'Andorre en celui de coprince. Devenu roi de France, il unit en 1607 la couronne de France à celle de Navarre, faisant des monarques français les nouveaux coprinces d'Andorre, tout en conservant la suzeraineté de l'évêque d'Urgell. Abandonnée sous la Révolution, la co-souveraineté française sur Andorre sera rétablie en 1806 par Napoléon, qui attribuera le statut de coprince d'Andorre au chef de l'État français, quel que soit le régime politique (monarchie, empire ou république). En 1993, la principauté s'est dotée de sa première Constitution qui fait des deux coprinces d'Andorre des chefs d'État indistincts. À chaque fois qu'un nouveau président de la République entre en fonction, celui-ci doit promettre d'exercer ses fonctions conformément à la Constitution andorrane.

Ce titre, après tout, n'est pas plus insolite que celui de *chanoine* de plusieurs cathédrales et basiliques, dont hérite également le président de notre république laïque !

65.

Pourquoi la Russie a-t-elle colonisé une partie de l'Amérique ?

Quand on évoque la colonisation du continent américain, on parle le plus souvent des Espagnols, des Portugais, des Anglais, des Français ou des Hollandais. C'est oublier qu'entre la fin du XVIIIe et le début du XIXe siècle, tout le nord de la façade pacifique, de l'Alaska jusqu'à San Francisco, a été colonisé par la Russie tsariste. Retour sur une épopée méconnue.

À la différence de toutes les puissances européennes qui ont bâti leur empire colonial par-delà les mers, l'aventure coloniale russe fut d'abord terrestre. Il faut en effet attendre le milieu du XVIIe siècle pour que la Russie, pays enclavé sans accès à la mer, atteigne les rives du Pacifique, au-delà de l'immense Sibérie. En 1728, l'explorateur danois Vitus Béring parvient à franchir le détroit qui sépare la Russie de l'Amérique. Le *Détroit de Béring* permet ainsi à la Russie de découvrir l'Alaska, les îles Aléoutiennes et la côte nord-ouest de l'Amérique du Nord. Le très lucratif commerce des fourrures de loutre de mer et des peaux de phoque va inciter la Russie à coloniser la région.

En 1784, le marchand Grigori Chelikhov fonde le premier comptoir russe en Amérique, sur l'île Kodiak en Alaska. Quinze ans plus tard est créée la Compagnie russe d'Amérique, financée par la famille impériale. Elle détient le monopole du commerce des fourrures sur toute la côte ouest de l'Amérique, au nord du 55e parallèle. Cette traite des fourrures procure aux trappeurs russes des profits colossaux. Cependant, l'épuisement de la population de loutres de mer d'Alaska contraint les chasseurs à migrer vers le sud en direction de la Californie. L'inspecteur général de la compagnie, le comte Rezanov, atteint ainsi en 1806 la baie de San Francisco. Et il obtient des Espagnols l'autorisation d'installer des comptoirs en Californie du Nord.

Voilà comment, en 1811, une base russe surgit au nord de San Francisco, à Bodega Bay. Cette ville – qui deviendra célèbre en 1963 grâce au film d'Alfred Hitchcock, *Les Oiseaux* – est rebaptisée pour l'occasion *Roumantsiev Bay*, du nom du ministre du Commerce russe. L'année suivante, les Russes construisent *Fort Ross* (du diminutif de Russie), le plus austral des comptoirs de la colonie russe d'Amérique. Doté d'une chapelle orthodoxe, il sert de camp de base à de nombreux savants. Toutefois, sa faible rentabilité, notamment en raison des coûts de transport, oblige les Russes à vendre Fort Ross en 1841 à l'Américain Johann Sutter pour 30 000 dollars. Ils quitteront définitivement la Californie l'année suivante. Dommage pour eux, car en 1848, un ouvrier du même Sutter découvre des pépites d'or au milieu d'un tas de gravier alors qu'il travaille à la réparation d'un moulin à eau.

En 1867, la dernière possession russe du continent, l'Alaska, est vendue aux Américains pour 7 millions de dollars.

66.

Pourquoi la Maison Blanche se nomme-t-elle ainsi ?

Après les attentats du 11 septembre 2001, bon nombre de commentateurs ont affirmé que les États-Unis venaient de subir, pour la première fois depuis leur indépendance, une agression étrangère sur leur propre territoire. C'est oublier un peu vite la guerre anglo-américaine de 1812, surnommée « seconde guerre d'indépendance », durant laquelle la résidence du président américain fut incendiée. Cet événement serait peut-être même à l'origine du nom de la Maison Blanche. Explications.

La construction d'un palais présidentiel est décidée par le premier président américain, George Washington. Cette résidence est bâtie dans la nouvelle capitale des États-Unis entre 1792 et 1800, sous la direction de l'architecte irlandais James Hoban, très inspiré par le palais ducal de Leinster House, à Dublin, actuel siège du parlement irlandais. En 1800, John Adams est le premier président à prendre ses quartiers dans ce qui ressemble alors à un manoir plutôt sinistre, sombre et froid. Le destin de ce lieu va basculer en 1814.

Deux ans plus tôt, le Congrès des États-Unis a voté une déclaration de guerre contre l'Angleterre, qui arraisonnait les navires de commerce américains à destination de la France napoléonienne. Si le motif semble négligeable, les Américains espèrent surtout faire main basse sur la Canada, alors colonie britannique. Après l'incendie du parlement du Haut-Canada à York (future Toronto), les Britanniques lancent une contre-offensive qui les mène jusqu'à Detroit. En 1814, un corps expéditionnaire anglais débarque près de Washington et marche sur la capitale. Le 24 août, les assaillants mettent en fuite la garde nationale et pénètrent dans le palais, abandonné en hâte par le président James Madison. Les Britanniques mettent le feu à la résidence, ainsi qu'au Capitole. Signée quelques mois plus tard, la paix se soldera par un statu quo.

Ravagée par les flammes, la résidence présidentielle doit être entièrement reconstruite. Si les murs extérieurs tiennent encore debout, leur couleur gris clair d'origine doit être recouverte de blanc, afin de masquer les dégâts. De cet événement serait né le surnom de « Maison Blanche ». Du moins le croyait-on jusque récemment… Car il est désormais attesté que le terme de *Maison Blanche* est apparu en 1811, soit trois ans avant l'incendie, à une époque où les murs blancs étaient en vogue dans le sud des États-Unis. Selon une légende populaire, ce nom ferait en fait référence à la femme de George Washington, Martha Curtis, qui aurait vécu durant sa jeunesse dans une plantation de Virginie appelée « White House Plantation », où elle aurait rencontré son mari.

Une chose est certaine : c'est en 1901 que le jeune président Theodore Roosevelt officialisera pour la première fois le nom de Maison Blanche, en faisant imprimer la mention « White House » sur l'en-tête de son papier à lettres.

67.

Pourquoi les Pays-Bas ont-ils deux capitales ?

Comme l'Afrique du Sud, la Bolivie ou le Bénin, les Pays-Bas ont l'originalité de posséder deux capitales distinctes. La capitale officielle, reconnue par la Constitution, est Amsterdam, cœur économique et culturel du pays depuis des siècles. En revanche, la capitale administrative et politique du pays est La Haye, lieu de résidence du souverain, siège du parlement, du gouvernement, de la Cour suprême et des ambassades. Pourquoi ?

La ville de La Haye doit son origine au comte de Hollande, Guillaume II. Au milieu du XIIIe siècle, celui-ci ordonne la construction d'un château, sur un terrain acquis par son père. C'est autour de ce château, baptisé le *Binnenhof* et résidence des comtes de Hollande, que se construit la ville de La Haye. De facto, la ville devient la capitale de la République des Provinces-Unies qui obtient son indépendance de l'Espagne en 1579. Le bâtiment principal, la *Ridderzaal* (salle des Chevaliers), abrite ainsi durant trois siècles le siège des états généraux des Pays-Bas – il est encore utilisé par les souverains lors de leur annuel Discours du trône. Le statut de capitale politique de La Haye perdure aux Pays-Bas jusqu'à l'invasion française de 1795.

Cette invasion transforme le royaume en une république sœur : la *République batave* (les Bataves étaient un peuple germain établi aux Pays-Bas à la fin de l'Empire romain) d'inspiration jacobine. Sa capitale est alors fixée à Amsterdam, première ville du pays. En 1806, Napoléon met fin à la République batave et crée le *royaume de Hollande*, dont il confie le trône à son frère Louis. Plutôt que de s'installer à La Haye comme ses prédécesseurs, Louis emménage à Amsterdam avec le gouvernement et fait de l'hôtel de ville son nouveau palais royal. Quatre ans plus tard, le royaume est annexé par la France, Amsterdam n'étant plus que la troisième ville de l'empire après Paris et Rome.

Après l'éviction des Français du royaume en 1813, le nouveau roi Guillaume Ier choisit de nouveau La Haye comme lieu de résidence et siège du pouvoir. En 1815, le congrès de Vienne fonde le *Royaume-Uni des Pays-Bas*. Il rassemble alors les actuels territoires du Benelux, ainsi que les colonies néerlandaises, dont l'actuelle Indonésie. Amsterdam demeure cependant la capitale officielle du pays, comme il est mentionné dans la nouvelle Constitution. Voilà pourquoi les Pays-Bas ont aujourd'hui encore deux capitales.

68.

Pourquoi le souverain du Luxembourg n'est-il ni roi ni prince, mais grand-duc ?

Avec une superficie inférieure à celle d'un département français et une population d'un demi-million d'habitants, le Luxembourg est un pays atypique. Il fait néanmoins partie des six pays fondateurs de l'Union européenne et abrite plusieurs de ses institutions. Cette monarchie particulièrement prospère a également l'originalité d'être le dernier État au monde doté du statut de grand-duché. Pourquoi ?

Apparu tardivement dans la hiérarchie nobiliaire, le titre de grand-duc est inférieur à celui de roi, mais supérieur à celui de duc ou de prince. Si l'on excepte le monde slave où son sens est relativement différent, la première monarchie à prendre officiellement le statut de grand-duché est la Toscane des Médicis, de la fin du XVIe siècle à l'unification italienne. Les grands-duchés se sont ensuite multipliés dans le Saint Empire germanique durant la période napoléonienne. Si certains sont supprimés à l'issue du congrès de Vienne en 1815, d'autres sont créés à l'occasion, durant la recomposition de l'Europe. C'est ainsi que naît le Grand-Duché de Luxembourg. Cet ancien comté médiéval fondé au Xe siècle se transforma en duché en 1354, pour être finalement annexé comme département par la France révolutionnaire de 1795.

Théoriquement indépendant, le Luxembourg a été institué en grand-duché afin de servir d'État tampon entre la France, les Pays-Bas et la Confédération germanique. Néanmoins, son trône est donné à titre personnel à Guillaume Ier, le nouveau roi des Pays-Bas (qui inclut alors la Belgique), en compensation pour la perte de ses possessions allemandes. C'est pourquoi le drapeau luxembourgeois est aujourd'hui le même que celui des Pays-Bas, à l'exception de son bleu, plus clair. En 1830, lorsque la Belgique obtient son indépendance, le Luxembourg se voit amputer de plus de la moitié de son territoire. Si Guillaume Ier abdique en 1840, l'indépendance effective du grand-duché ne sera obtenue qu'en 1867 à la faveur d'une crise entre la France et la Prusse.

Cette année-là, Napoléon III exige que le Luxembourg soit cédé à la France, en rétribution du rôle de médiateur qu'elle a joué dans la guerre austro-prussienne survenue l'année précédente. L'opinion publique allemande s'y oppose fortement, considérant le grand-duché comme un territoire germanophone. Un compromis est trouvé avec le traité de Londres du 11 mai 1867 : la France renonce au Luxembourg, mais la Prusse s'engage à retirer toutes ses garnisons qui y sont installées depuis 1815. L'accord reconnaît également l'indépendance pleine et entière du pays, dont le souverain reste le roi des Pays-Bas.

Mais en 1890, le roi Guillaume III meurt sans descendant masculin. Si aux Pays-Bas sa fille, Wilhelmine, peut lui succéder, ce n'est pas le cas dans le grand-duché où la règle de succession interdit aux femmes de régner. En conséquence, c'est un membre d'une branche cousine de la famille royale néerlandaise, les Nassau, qui devient grand-duc sous le nom d'Adolphe. Depuis cette date, Pays-Bas et Luxembourg ont des souverains distincts.

69.

Pourquoi l'actuelle dynastie régnant en Suède a-t-elle été fondée par Bernadotte, un maréchal de Napoléon ?

Le 19 septembre 1973, Charles XVI Gustave est couronné roi de Suède. Or peu de Français savent que ce souverain descend en droite ligne d'un maréchal de Napoléon d'origine béarnaise, fondateur de la dynastie qui porte encore son nom aujourd'hui : Bernadotte. Comment un tel destin fut-il possible ?

En 1806, la France est en guerre contre la Prusse. Après la bataille d'Iéna, Bernadotte, qui a reçu deux ans plus tôt le bâton de maréchal, se lance à la poursuite de l'armée prussienne. Avec l'aide de deux autres maréchaux, il s'empare de Lübeck, au nord de l'Allemagne. En dépit du terrible carnage qui suit la prise de la ville, Bernadotte traite avec égard les prisonniers suédois, pourtant alliés des Prussiens. Cette conduite humaniste lui vaut l'estime du parlement suédois, lequel ne tarde pas à se rapprocher de la France pour mieux contrer la Russie. Après quelques années de débats stériles – le roi Charles XIII étant malade et sans enfant – la Suède propose à Bernadotte de devenir prince héréditaire du royaume. Une seule condition lui est imposée : abjurer la religion catholique au profit de la religion luthérienne. Bernadotte accepte, avec l'assentiment de Napoléon, qui se réjouit d'acquérir si aisément un allié de la France au nord de l'Europe.

Cependant, ayant goûté au pouvoir suprême, Bernadotte épouse entièrement la cause de son nouveau royaume, au grand dam de l'empereur. Il rompt progressivement son alliance avec la France au profit de la Russie, son but étant de conquérir la Norvège placée sous l'égide danoise depuis près de trois siècles. Engageant son pays d'adoption dans une coalition contre sa patrie de baptême, il prend le commandement de l'armée alliée du nord de l'Allemagne.

Il ne tardera pas à être récompensé de son rôle actif dans la défaite de Napoléon, les Alliés lui permettant, en 1814, d'unir la Norvège à la Suède. À la mort de Charles XIII, le 5 février 1818, l'ex-maréchal Bernadotte devient officiellement roi de l'Union des royaumes de Suède et de Norvège, sous le nom de Charles XIV Jean. Un comble pour celui qui, d'après la légende, s'était fait tatouer sur la poitrine, bien des années plus tôt : « Mort aux rois ! » C'est en réalité une tout autre devise qu'il choisira de suivre en tant que monarque : « Que l'amour du peuple soit ma récompense. » Le fait est qu'il œuvrera avec pugnacité au développement de ses États, favorisant l'instruction publique, l'agriculture, ainsi que le développement de l'industrie et du commerce.

Si Bernadotte est mort en 1844 sans jamais parvenir à parler le suédois, la septième génération de ses descendants règne aujourd'hui encore sur le pays.

D'autres officiers de l'Empire surent, comme lui, faire souche et prospérer dans les plus hautes sphères du pouvoir à l'étranger. Tel le colonel Sève – un Lyonnais qui s'illustra à son tour dans l'armée napoléonienne et entra au service du vice-roi d'Égypte, Méhémet Ali, sous le nom de Soliman Pacha – où il se révéla un grand homme de guerre. De sa descendance naîtra le dernier roi égyptien, Farouk.

70.

Pourquoi la France a-t-elle envahi l'Algérie ?

La colonisation de l'Algérie par la France a la particularité d'avoir commencé un demi-siècle avant celle du reste de l'Afrique. Quelle en est la raison ?

À la fin du XVIIIe siècle, l'Algérie est un territoire sous suzeraineté ottomane, disposant d'une très large autonomie. Cependant, les pouvoirs de l'État sont concentrés en la personne du dey, qui gouverne une modeste partie du pays. En 1798, le dey d'Alger vend au Directoire français du blé destiné à nourrir l'expédition égyptienne menée par Bonaparte. Financé par un emprunt de la France, ce blé ne sera jamais payé. Trente ans plus tard, en 1827, le nouveau dey d'Alger, Hussein, sollicite auprès du consul de France, Deval, le remboursement de la dette. Comme ce dernier s'y refuse, le dey le soufflette du manche de son chasse-mouches. Il n'en faut pas davantage pour que les relations diplomatiques entre les deux pays s'enflamment : c'est la crise politique !

Le président du Conseil français, le comte de Villèle, somme immédiatement le dey de s'excuser et demande réparation. En vain. Or, à l'été 1829, le roi de France, Charles X, confie la présidence du Conseil à l'intransigeant et impopulaire Polignac, qui n'est autre que le fils d'une amie intime de Marie-Antoinette. Il doit faire face à une vive agitation ministérielle et parlementaire, sans parler de la contestation grandissante d'une population pour qui cette nomination réveille de fort mauvais souvenirs. Afin de faire diversion, le souverain se prononce pour une expédition punitive en Algérie, en mars 1830, espérant que le succès de celle-ci restaurera son image, en plus de détourner l'attention.

Le but est non seulement d'obtenir réparation pour l'offense faite à la France, mais aussi de détruire les repaires de pirates qui, depuis l'Algérie, sillonnent la Méditerranée, dépouillant et réduisant en esclavage des milliers d'Européens. En dépit des nombreuses oppositions, y compris de la part des Britanniques, la flotte française appareille à Toulon, le 25 mai 1830, avec plus de 50 000 hommes, sous les ordres du général de Bourmont. Suivant un plan élaboré vingt ans plus tôt par Napoléon, les troupes de Bourmont débarquent sur la plage de Sidi Ferruch, à 25 kilomètres d'Alger, tandis que la flotte bombarde les défenses ennemies, notamment la citadelle de Fort-l'Empereur – nommée ainsi en souvenir de Charles Quint. Les Français s'emparent de la ville le 5 juillet, obligeant le dey à capituler. 48 millions de francs sont immédiatement prélevés sur son trésor afin de rembourser les frais de l'expédition.

La conquête algérienne victorieuse n'empêchera cependant pas Charles X, roi réactionnaire et cléricaliste, d'être chassé du pouvoir quelques semaines plus tard, à l'issue des fameuses Trois Glorieuses, au profit de son cousin, Louis-Philippe Ier : la maison d'Orléans succède ainsi à la branche aînée des Bourbons. Selon le journaliste d'investigation Pierre Péan, la captation du trésor du dey aurait été l'objectif secret mais véritable de la conquête. Mais aucun document officiel ne nous permet aujourd'hui d'étayer cette thèse. Ce qui est certain, c'est que cette colonisation, débutée sous de mauvais prétextes, aura meurtri durablement les relations entre la France et l'Algérie.

71.
Pourquoi Louis XIX n'a-t-il régné que vingt minutes ?

Louis-Philippe Ier ayant été proclamé « roi des Français », on attribue à son prédécesseur, Charles X, le titre de dernier « roi de France ». C'est oublier qu'entre le moment où le frère de Louis XVI abdique, le 2 août 1830, et celui où son cousin, Louis-Philippe, est proclamé roi en présence des deux Chambres, le 9 août – soit en moins d'une semaine –, deux autres héritiers sont eux aussi montés, de manière plus symbolique qu'officielle, sur le trône de France ! Une étrange histoire de succession qui mérite bien quelques explications.

Survenue à la fin du mois de juillet 1830, la révolution des Trois Glorieuses pousse le très conservateur Charles X à abdiquer, le 2 août 1830. Selon les règles, c'est à son fils aîné, Louis-Antoine, de lui succéder. Or son père, le jugeant inapte à conserver le pouvoir, lui préfère son petit-fils âgé de dix ans, Henri d'Artois. Cependant, pour que le tout jeune Henri puisse monter sur le trône de France, il faut préalablement que Louis-Antoine, l'héritier légitime, renonce à ses droits. On raconte à ce sujet que Charles X eut toutes les peines du monde à convaincre son fils et que celui-ci le supplia de le laisser régner, ne serait-ce qu'une heure.

Précisons que cette abdication était illégale. Dans les lois fondamentales du royaume, il existe un principe d'« indisponibilité de la Couronne », qui stipule que le roi n'a ni le pouvoir de la céder, ni celui de l'engager auprès d'une puissance étrangère, ni même d'abdiquer. Certes, Charles X, qui répugnait à coopérer avec son Parlement, n'était pas homme à s'encombrer de tels détails de procédure.

Si Louis-Antoine consent finalement à céder le trône à Henri d'Artois, vingt minutes se sont écoulées entre l'abdication de Charles et l'acte de renoncement de Louis, pendant lesquelles l'ancien dauphin a symboliquement occupé le trône de France sous le nom de Louis XIX. Ces quelques minutes font de lui le roi de France au règne le plus bref ! Son successeur n'en profitera guère davantage, puisque le 9 août 1830, c'est Louis-Philippe d'Orléans qui est proclamé roi des Français. Ni Louis-Antoine ni Henri n'eurent même le temps d'être proclamés.

Si Louis XIX n'a régné que vingt minutes, son successeur ne fut connu sous le nom d'Henri V que durant cinq jours. Dans la longue histoire de la monarchie française, ce coup du sort le place à égalité avec Jean Ier, dit « le Posthume », qui en 1316 ne survécut que cinq jours à sa naissance. Jamais couronné, l'enfant fut pourtant enterré dans la basilique de Saint-Denis.

72.

Pourquoi Louis-Philippe n'était-il pas « roi de France » mais « roi des Français » ?

Monté sur le trône de France à la suite de la révolution de 1830, Louis-Philippe Ier n'a pas régné sous le titre de « roi de France » comme ses prédécesseurs, mais sous celui de « roi des Français ». Pourquoi ?

Durant la majeure partie du Moyen Âge, les souverains français ne portaient pas le titre de « roi de France », mais de « roi des Francs », à l'instar de leur ancêtre Clovis. C'est Louis VI le Gros qui le premier va se proclamer roi de France, dans une lettre adressée au pape Calixte II, en 1119. Il s'agirait même de la première mention officielle du terme « France ». Dès lors, et jusqu'en 1830, tous les souverains français porteront le titre de *roi de France*, à une seule exception près.

Durant la Révolution, le titre de « roi de France » est remplacé par celui de « roi des Français » dans l'article 2 de la Constitution de septembre 1791. Véritable innovation pour l'époque, ce nouveau titre souligne le fait que le roi détient désormais son pouvoir non plus de Dieu, mais du peuple. Louis XVI sera ainsi le premier *roi des Français*, titre qu'il conservera jusqu'à la chute de la monarchie en août 1792. Avec la Restauration, Louis XVIII et Charles X ne doivent pas leur trône à une révolution populaire, mais à la chute de Napoléon face à l'Europe coalisée. Ils choisissent alors tous deux de reprendre le titre de *roi de France*.

En revanche, en 1830, c'est bien une révolution, celle des Trois Glorieuses, qui pousse Charles X à abdiquer et la Chambre des députés à proclamer roi Louis-Philippe. Pour symboliser le pacte entre les représentants de la nation et le nouveau souverain, les députés lui attribuent le titre de *roi des Français*. Cette monarchie parlementaire et libérale, appelée *monarchie de Juillet*, a pour emblème le drapeau tricolore, et non plus le drapeau blanc. Elle vaudra d'ailleurs à Louis-Philippe le surnom méprisant de « roi bourgeois ». C'est durant son règne que sera inauguré l'Arc de triomphe, commandé par Napoléon, et que les cendres de l'empereur seront rapatriées en France puis inhumées aux Invalides, le 15 décembre 1840.

Un an après Louis-Philippe, le souverain de la nouvelle Belgique issue de la révolution de 1830, Léopold Ier, est à son tour proclamé « roi des Belges » et non « roi de Belgique ». Au XIXe siècle, plusieurs autres monarques ont porté des titres comparables comme le roi des Hellènes ou le roi des Bulgares.

73.
Pourquoi Lamartine s'est-il présenté à l'élection présidentielle de 1848 ?

Les 10 et 11 décembre 1848 se tient en France la première grande élection réalisée au suffrage universel – du moins masculin. En jeu : le poste prestigieux de président de la République, pour un mandat de quatre ans, sur le modèle américain. Parmi les six candidats en lice, on note la présence du célèbre poète romantique Lamartine. Comment l'expliquer ?

Comme Victor Hugo et Chateaubriand, Lamartine a mené une longue carrière politique. Secrétaire d'ambassade à Florence durant la Restauration, Lamartine est alors monarchiste comme bon nombre de romantiques. Se ralliant à la monarchie de Juillet, il est élu député en 1833, après deux échecs, et conservera ce poste jusqu'en 1851. Cependant, sous le règne de Louis-Philippe, le poète se rapproche progressivement de l'opposition républicaine et des libéraux. Comme en témoigne la phrase qu'il prononce en 1839 à la tribune de la Chambre des députés : « *La France est une nation qui s'ennuie.* »

Neuf ans plus tard, en février 1848, une révolution est enfin en marche, celle que Lamartine avait appelée de ses vœux l'année précédente en publiant une *Histoire des Girondins.* Apparaissant soudain comme un visionnaire, le poète est alors littéralement poussé par son ami et éditeur Pierre-Jules Hetzel jusqu'à l'Hôtel de Ville de Paris, où il rejoint un petit groupe de républicains mené par Ledru-Rollin. Dans la nuit, il proclame la naissance de la IIe République et entre au gouvernement provisoire comme ministre des Affaires étrangères. C'est encore Lamartine qui convainc les républicains partisans du drapeau rouge d'adopter le drapeau tricolore. Le 10 mai, une Commission exécutive composée de cinq membres (sur le modèle du Directoire) succède au gouvernement provisoire. Figure clé du nouveau régime, Lamartine s'engage à nouveau et participe activement à l'écriture de la nouvelle Constitution.

C'est fort de ce statut d'homme d'État que le poète décide de se porter candidat à la présidence en décembre 1848. Si Lamartine est partisan de l'élection du président de la République au suffrage universel direct, l'ironie veut que ce nouveau système électoral soit à l'origine de sa défaite dans la course à la magistrature suprême. La population paysanne, très largement majoritaire, ne connaît pas ce candidat ; certains croient même qu'il s'agit d'une femme – la Martine ! Résultat, le poète subit un échec cuisant, n'obtenant que 17 000 voix, soit 0,23 % des suffrages.

74.

Pourquoi les héros de l'unification italienne étaient-ils français ?

Il n'y a pas une commune en Italie qui n'ait baptisé une rue, un boulevard ou une avenue du nom des héros de l'unité italienne au milieu du XIXe siècle : Garibaldi, Cavour, Mazzini ou Verdi. Imaginons maintenant l'étonnement qui pourrait se lire sur le visage d'un citoyen italien, si on lui révélait que ces grands hommes de l'histoire nationale étaient tous français, étant nés en Italie dans des territoires annexés par la France !

Camillo Cavour, qui fut le premier président du Conseil italien, est né à Turin en 1810, dans cette capitale piémontaise annexée par la France en 1802 et transformée en chef-lieu du département du Pô. Le révolutionnaire et patriote Giuseppe Mazzini a vu le jour en 1805 à Gênes, ville elle aussi rattachée à la France durant l'Empire. Quant au compositeur Verdi, militant visionnaire, il est venu au monde en 1813 à Roncole, dans le duché de Parme, annexé par la France depuis le traité de Madrid de 1801 et devenu département du Taro.

Mais le cas le plus emblématique est celui du célèbre Giuseppe Garibaldi, qui naît en 1807 dans la ville de Nice, intégrée à la République française dès 1793. Si Garibaldi milite pour l'indépendance du comté de Nice, il se met toutefois au service de la France en 1870 après la chute du Second Empire pour lutter contre les Prussiens. Léon Gambetta le charge alors du commandement de dix mille tirailleurs de l'armée des Vosges, avec laquelle il reprend Dijon à l'ennemi. Cette victoire, la seule obtenue par la France durant la guerre de 1870, vaut à Garibaldi d'être élu l'année suivante député de Paris, d'Alger, de la Côte-d'Or et de Nice – sans même s'être porté candidat. Ironie de l'histoire : l'élection est invalidée au motif que Garibaldi n'est pas français, précisément, mais sujet italien !

Lorsqu'à Paris éclata la révolution de 1848, le renversement de la monarchie constitutionnelle de Louis-Philippe Ier eut un énorme retentissement auprès des élites européennes. La contagion révolutionnaire gagna Berlin, Munich, Vienne, Turin… Victor Hugo lança alors, prophétique : « Un jour viendra où vous France, vous Russie, vous Italie, vous Angleterre, vous Allemagne, vous toutes, nations du continent, sans perdre vos qualités distinctes et votre glorieuse individualité, vous vous fondrez étroitement dans une unité supérieure et vous constituerez la fraternité européenne… »

75.

POURQUOI LES JUIFS D'ALGÉRIE SONT-ILS DEVENUS FRANÇAIS EN 1870 ?

Durant l'été 1962, près d'un million de citoyens français quittent l'Algérie indépendante pour gagner la métropole, après plus de cent trente ans de colonisation. Parmi eux, 150 000 juifs, dont la présence en Algérie était bien antérieure à la conquête française. Alors pourquoi, à la différence des musulmans, ont-ils acquis la citoyenneté française ?

En 1847, la reddition d'Abd el-Kader met officiellement fin à la conquête de l'Algérie par la France. Dès lors se pose la question du statut des indigènes musulmans (environ 3 millions de personnes) et des juifs (35 000). La présence de ces derniers sur le territoire remonterait à 1492, lorsque leurs coreligionnaires furent expulsés d'Espagne, voire pour certains à la colonisation romaine. Quel statut attribuer aux uns et aux autres ? Sous le Second Empire, Napoléon III souhaite l'instauration d'un royaume arabe algérien sous protectorat français, dont il serait le souverain. Avec le décret du 14 juillet 1865, l'empereur accorde à tous les Algériens, juifs comme musulmans, la nationalité française – mais pas le droit de vote. Cette mesure déclenche la colère des colons d'origine européenne qui, par hostilité envers l'empereur, se rallient alors à l'opposition républicaine. Aussi, en septembre 1870, lorsque le Second Empire prend fin avec la capture de Napoléon III, la IIIe République nouvellement proclamée va prendre le contre-pied de la politique napoléonienne, en associant plus étroitement l'Algérie à la France.

De Tours, où s'est réfugié le gouvernement de la Défense nationale, est émis le 24 octobre 1870 un nouveau décret qui abroge celui de Napoléon III. La citoyenneté française est désormais accordée aux seuls juifs d'Algérie, dont la francisation avait été initiée dès la conquête du pays, tandis que le statut d'indigène est maintenu pour les musulmans. Si cette mesure donne satisfaction aux colons, certains dénoncent les préoccupations électorales, notamment à Oran où les juifs sont nombreux. En outre, le décret est l'œuvre du ministre de la Justice, Adolphe Crémieux, lui-même d'origine juive et cofondateur quelques années plus tôt de l'Alliance israélite universelle, destinée à protéger les juifs du monde entier.

Partant d'un sentiment généreux envers les juifs d'Algérie, le décret Crémieux va cependant initier une fracture profonde entre les communautés musulmane et juive, la seconde étant désormais assimilée aux colons. Autre conséquence néfaste, le décret fait ressurgir en France de violentes campagnes d'antisémitisme, qui avaient pratiquement disparu au XIXe siècle. En 1940, le régime de Vichy abolit le décret Crémieux. Et trois semaines plus tard, les lois antisémites sur le statut des juifs s'appliquent en métropole comme en Algérie.

En 1943, soit un an après le débarquement allié en Afrique du Nord, le Comité français de Libération nationale rétablira le fameux décret.

76.

Pourquoi l'Empire allemand a-t-il été proclamé dans la galerie des Glaces à Versailles ?

Le 18 janvier 1871, alors que la guerre franco-prussienne n'est pas encore terminée, Bismarck proclame la naissance de l'Empire allemand. Immortalisé par le célèbre tableau d'Anton von Werner, l'événement se déroule en présence de presque tous les princes allemands, dans un lieu apparemment insolite : la galerie des Glaces du château de Versailles. Pourquoi ?

En 1806, Napoléon abolit le Saint Empire romain germanique. Créé presque neuf siècles plus tôt, celui-ci plaçait tous les États allemands (royaumes, duchés, principautés ou villes libres) sous l'autorité symbolique d'un empereur. Après le congrès de Vienne, l'empire est divisé en une quarantaine de principautés. À partir du milieu des années 1860, Bismarck, ministre-président de Prusse, le plus puissant des royaumes allemands, tente de fédérer tous ses voisins, afin de constituer un empire rival de celui d'Autriche-Hongrie. Grâce à lui, en 1867, la Confédération de l'Allemagne du Nord rassemble déjà la majorité des États. Et lorsque Napoléon III déclare la guerre à la Prusse en 1870, Bismarck voit dans ce nouveau conflit le moyen de rallier les États du sud, afin d'achever l'unification tout en mettant à genoux l'ennemi français.

Mal préparée, l'armée française subit en un mois une série de défaites, qui vont entraîner la capture de Napoléon III à Sedan le 2 septembre. À Paris, où la IIIe République est proclamée, les républicains refusent la défaite et empêchent les troupes prussiennes d'entrer dans la capitale. Le commandement allemand se replie à Versailles et transforme l'ancien château royal en hôpital militaire. En novembre, les États allemands du sud (Bavière, Saxe, Wurtemberg et Bade) rejoignent enfin la Confédération. Bismarck sait que la victoire finale n'est qu'une question de temps et il entend bien profiter de l'occasion pour proclamer la naissance de l'Empire allemand, dont le pouvoir suprême est conféré au roi de Prusse Guillaume Ier.

La date de la cérémonie est fixée au 18 janvier 1871, jour anniversaire du couronnement du premier roi de Prusse, Frédéric Ier, cent soixante-dix ans plus tôt. Si Bismarck décide d'organiser cette proclamation historique dans la galerie des Glaces de Versailles, c'est pour plusieurs raisons. Outre son aspect pratique (le commandement militaire allemand y a pris ses quartiers depuis plusieurs mois), Versailles est un lieu neutre au regard des souverains allemands, contrairement à Berlin, alors capitale de la Prusse. D'autre part, le choix de ce lieu, véritable emblème de l'hégémonie française, est vu par Bismarck comme le moyen d'humilier les Français, le Prussien gardant en mémoire les terribles défaites que Napoléon avait infligées aux siens en 1806. Le symbole est d'autant plus fort que c'est sous Louis XIV que l'Alsace avait été rattachée à la France.

77.

Pourquoi le palais des Tuileries n'existe-t-il plus ?

Pour les Parisiens, comme pour les nombreux touristes qui visitent chaque jour la capitale, le nom des Tuileries n'évoque plus aujourd'hui qu'un simple jardin à la française, aménagé par Le Nôtre. Combien savent que c'est au palais des Tuileries que se sont écrites, de la Révolution au Second Empire, les grandes pages de notre histoire nationale ? La raison de cette méconnaissance est simple : à l'instar de la Bastille, il ne reste pratiquement plus aucune trace visible de ce monument. Quelle en est la raison ?

La construction du palais des Tuileries remonte à Catherine de Médicis. Celle-ci fait appel en 1564 à l'architecte Philibert de l'Orme pour édifier une résidence à l'ouest du château du Louvre, sur le site d'anciens fours à tuiles (les tuileries). Quelques décennies plus tard, Henri IV envisage de relier les Tuileries au Louvre par de longues galeries parallèles longeant la Seine. Il faudra attendre deux cent cinquante ans pour voir ce projet achevé ! Sous Louis XIV, les architectes Louis Le Vau et François d'Orbay donnent au palais l'aspect symétrique qu'il conservera jusqu'à sa destruction. Le Roi-Soleil y réside jusqu'à son départ pour Versailles en 1682. Le retour du roi de France aux Tuileries s'opère après les journées révolutionnaires d'octobre 1789. Le palais devient alors le siège du pouvoir, et donc le théâtre d'événements politiques majeurs.

C'est par exemple la prise des Tuileries, le 10 août 1792, qui entraîne la chute de la monarchie et la naissance de la Première République. Durant la Terreur, la Convention s'y installe, imitée sous le Directoire par le Conseil des Anciens. Le palais est également la résidence officielle de Napoléon, de Louis XVIII (seul roi à y décéder) et de Charles X. Pillés durant la révolution de 1830, les lieux sont réinvestis par Louis-Philippe l'année suivante, afin de rehausser son prestige. Dix-huit ans plus tard, le président de la République Louis-Napoléon Bonaparte en fait sa résidence officielle. Devenu empereur en 1852, c'est Napoléon III qui achève le projet d'Henri IV de relier les Tuileries au Louvre par une galerie, créant ainsi le plus vaste château d'Europe. Il n'aura guère le temps d'en profiter. Durant la terrible répression de la Commune de Paris, « la Semaine sanglante », des communards décident de brûler les Tuileries, symbole de l'autorité et du pouvoir. Murs et planchers sont aspergés de pétrole, l'autel de la chapelle est enduit de goudron, des bottes de paille sont entassées dans les sous-sols, et des barils de poudre disposés par endroits. Déclenché le 23 mai 1871, l'incendie dure trois jours, faisant fondre les bronzes et exploser les marbres.

La question de la reconstruction du palais des Tuileries sera soulevée à plusieurs reprises. Mais en 1883, au terme de longs débats, l'Assemblée décidera finalement d'en raser les ruines. Si plusieurs propositions de reconstruction ont été envisagées depuis (notamment par le général de Gaulle), elles n'ont pas abouti, sans doute en raison du coût et de l'intérêt réel de l'entreprise. Nous ne reverrons sûrement jamais ce grand monument de l'Histoire de France.

78.

Pourquoi la République s'est-elle imposée en France à partir de 1870 malgré une majorité parlementaire royaliste ?

Si la IIIe République est proclamée le 4 septembre 1870, après la capture de Napoléon III durant la guerre contre la Prusse, elle est d'abord dirigée pendant plusieurs années par des monarchistes. Démocratiquement élus, ces derniers avaient le projet de restaurer la monarchie française. Pourquoi ont-ils échoué ?

La chute du Second Empire et la proclamation de la IIIe République surviennent à la fin de la guerre de 1870 contre la Prusse. Lorsque le 29 janvier 1871, le gouvernement provisoire français sollicite un armistice, Bismarck exige de négocier avec un gouvernement légitime. On organise alors des élections dans la hâte, quelques jours plus tard, sans véritable campagne. Le résultat donne la majorité des sièges (400 sur 675) aux monarchistes, partisans d'une paix immédiate avec la Prusse, au détriment des républicains divisés sur la question de la poursuite de la guerre. Mais les monarchistes se gardent bien de restaurer le trône de France, craignant que celui-ci ne reste associé à l'humiliation de la défaite et à la répression de la Commune. Ils doivent en outre faire face à une division interne, le courant légitimiste prônant un retour à la monarchie de droit divin, le courant orléaniste lui préférant une monarchie constitutionnelle.

Le 24 mai 1873, l'élection au poste de président de la République du maréchal Mac Mahon, entièrement acquis aux légitimistes, laisse présager un retour imminent de la monarchie. Légitimistes et orléanistes s'accordent même sur le choix du prétendant au trône de France : le comte de Chambord, Henri d'Artois, petit-fils de Charles X, celui qui régna seulement cinq jours en 1830 sous le nom d'Henri V. Toutefois, le 27 octobre, l'héritier présomptif impose comme préambule à la restauration monarchique le retour du drapeau blanc. Pour la majorité des Français, cette requête est inacceptable. Mais on ne badine pas avec la force des symboles ! En raison de ce détail formel, la restauration échoue.

Quatorze mois plus tard, le 30 janvier 1875, alors que l'Assemblée débat des lois constitutionnelles, un député républicain modéré, Henri Wallon, propose un amendement apparemment anodin sur la durée du mandat présidentiel – mais qui introduit officiellement le mot de « République ». Contre toute attente, l'amendement est adopté à une voix près, mettant définitivement un terme aux aspirations monarchiques de l'Assemblée. Les élections législatives de février 1876 verront la victoire des républicains. Et quatre ans plus tard, l'un d'eux, Jules Grévy, sera élu à la présidence de la République. Une République définitivement instaurée !

79.

Pourquoi existe-t-il plusieurs prétendants au trône de France ?

Si le régime républicain est parfaitement accepté par la majorité des Français, la monarchie, abolie en 1848, a encore ses partisans. Pour ces derniers, le principal obstacle à une hypothétique restauration réside dans la division des mouvements royalistes, lesquels ont chacun leur prétendant. En voici la raison.

Poussé à abandonner le pouvoir par la révolution dite des Trois Glorieuses, le roi de France Charles X, frère de Louis XVI et descendant direct d'Henri IV, fondateur de la maison des Bourbons, abdique au profit de son petit-fils, Henri d'Artois, le 2 août 1830. Ce dernier étant âgé de dix ans, il confie la régence à son cousin, Louis-Philippe, duc d'Orléans, qui descend du frère de Louis XIV, Philippe d'Orléans. Cependant, cinq jours plus tard, contre toute attente, le Parlement proclame Louis-Philippe Ier « roi des Français » et non régent. Dès lors, considérant que les lois fondamentales de la monarchie ont été bafouées, les partisans de Charles X regardent le nouveau roi comme un usurpateur.

Cette haine à son égard s'explique également par son ascendance. En effet, Louis-Philippe est le fils du duc d'Orléans, Philippe Égalité, proche des révolutionnaires et qui vota la mort de son cousin Louis XVI. Dans les milieux monarchistes, un mot féroce circule à son sujet : « *Louis-Philippe est du sang des Bourbons. Il en est couvert.* »

En 1883, se pose de nouveau la question dynastique, lorsque Henri d'Artois, devenu comte de Chambord, dernier descendant direct de Louis XIV, meurt sans héritier. Certains de ses partisans vont désormais se rallier à la candidature du comte de Paris, petit-fils de Louis-Philippe, et prétendant au trône depuis la mort de son grand-père en 1850. Ce courant est baptisé orléaniste.

Les autres, qui s'appuient sur les lois fondamentales du royaume en matière de transmission de la couronne, considèrent que le prétendant au trône le plus légitime doit appartenir à la branche des Bourbons devenue aînée après la mort du comte de Chambord : les Bourbons d'Anjou, descendants du roi d'Espagne, Philippe V, petit-fils de Louis XIV. Ce courant opposé est appelé légitimiste.

Or, les orléanistes disposent d'un argument historique à opposer à leurs adversaires : le traité d'Utrecht de 1713 écarte catégoriquement tous les descendants de Philippe V de la couronne de France ! Ils se fondent également sur le vice de pérégrinité, voté par le Parlement le 28 juin 1593, dans l'arrêt Lemaistre qui exclut, de facto, tout prince ayant fondé une maison royale étrangère.

La question n'étant toujours pas réglée, il existe aujourd'hui encore plusieurs prétendants au trône de France. Trois candidats partagent actuellement cette ambition : Henri d'Orléans, comte de Paris, né en 1933, futur « Henri VII » pour les orléanistes ; Louis de Bourbon, duc d'Anjou, né en 1974, futur « Louis XX » pour les légitimistes ; et Jean-Christophe Napoléon, « prince Napoléon », né en 1986, prétendant au trône impérial de France.

80.

Pourquoi le Congo fut-il la propriété personnelle du roi des Belges ?

À la fin du XIXe siècle, l'intérieur encore inexploré du continent africain attire les convoitises des grandes puissances européennes. En quelques années, l'Afrique est ainsi partagée entre Anglais, Français, Portugais et Allemands. Toutefois, aucune de ces quatre puissances n'a obtenu le contrôle de l'immense cuvette du Congo. Car le gigantesque Congo a été durant plus de vingt ans la propriété personnelle du roi des Belges. Pourquoi ?

En 1865, à l'âge de trente ans, Léopold II monte sur le trône de Belgique. Passionné par les voyages, il rêve d'offrir une colonie à son modeste et récent royaume, afin d'élever celui-ci au rang des États avec lesquels il faut compter. En septembre 1876, le roi organise ainsi au palais royal de Bruxelles, en présence d'une trentaine de savants, une conférence de géographie destinée à encourager l'exploration du centre de l'Afrique – officiellement, il s'agit de mettre fin à l'esclavage encore pratiqué par les musulmans – et qui se conclut par la création de l'Association internationale africaine, dont Léopold devient le président.

C'est au nom de cette association que, deux ans plus tard, le roi des Belges missionne personnellement le journaliste Henry Morton Stanley pour explorer le bassin du Congo.

Remontant le fleuve avec une troupe de mercenaires, Stanley traverse le pays d'est en ouest. Il conclut des traités avec les chefs de tribus locaux et fonde en 1881 la ville de Léopoldville (actuelle Kinshasa). Mais le succès de cette exploration inquiète les puissances européennes déjà implantées sur le continent. Notamment l'Angleterre dont l'ambition est de constituer un axe Le Caire-Le Cap et qui accepte mal de voir une nation rivale prendre possession de cet immense territoire au cœur de l'Afrique noire. Pour régler la question, Léopold II obtient du chancelier allemand Bismarck l'organisation à Berlin d'une conférence réunissant les chefs d'État européens en vue d'un partage de l'Afrique.

L'annexion de l'immense Congo par une puissance déjà implantée en Afrique serait source de déstabilisation. Au cours de la conférence, un compromis est trouvé le 26 février 1885, accordant ce territoire africain à Léopold II, mais seulement à titre privé. Ratifié en avril par le parlement belge, le traité donne naissance à « l'État indépendant du Congo ». Légalement maître du Congo, Léopold va dès lors tout faire pour rentabiliser sa colonie. Or le brutal système d'exploitation économique qu'il met en place va conduire à un véritable pillage des ressources locales, en particulier du caoutchouc et de l'ivoire. Et les conditions de travail dantesques imposées aux indigènes finissent par être dénoncées. Alertée, une commission d'enquête internationale reconnaît de nombreuses exactions, dont le travail forcé.

À la suite de ce scandale, Léopold II sera discrédité et préférera léguer le Congo à la Belgique. Après moult hésitations, le gouvernement belge finira par l'accepter, le 15 novembre 1908.

81.

Pourquoi le président Jules Grévy a-t-il démissionné avant la fin de son second mandat ?

Le 2 décembre 1887, après plus de huit ans passés à l'Élysée, Jules Grévy est contraint de démissionner. La pression populaire et la fronde parlementaire menée par Clemenceau ont eu raison du quatrième président de la République française. Que s'est-il passé ?

Républicain de conviction, Jules Grévy est porté à la présidence de la République en janvier 1879, à la suite de la démission du monarchiste Mac Mahon. C'est durant son mandat que le caractère républicain du régime se manifeste véritablement, avec l'officialisation de la *Marseillaise* et de Marianne, l'instauration du 14 juillet fête nationale ou encore l'entrée au Panthéon de Victor Hugo.

En 1881, Alice, la fille de Jules Grévy, épouse Daniel Wilson, un député de gauche influent, également sous-secrétaire d'État aux Finances. Cet homme d'affaires richissime, magnat de la presse et spéculateur à la réputation sulfureuse, va profiter de son statut de gendre du président pour s'installer à l'Élysée et alimenter en informations confidentielles son journal, *La Petite France de Tours*.

Beaucoup plus grave, Wilson organise depuis l'Élysée un véritable réseau de trafic d'influence par la vente de grâces présidentielles et de décorations, en particulier de

Légions d'honneur. L'affaire est révélée dans la presse en octobre 1887. Abasourdi, le public découvre l'existence, à l'intérieur même de l'Élysée, de ce honteux trafic. On parle de vingt mille dossiers ! Le scandale implique également un sénateur, le comte d'Andlau, le sous-secrétaire d'état-major de l'armée, le général Caffarel, ainsi que Mme Limouzin, une tenancière de maisons closes. Pour couronner le tout, on apprend que la police aurait falsifié des pièces à conviction.

L'affaire fait évidemment les choux gras de la presse. L'opposition parlementaire, menée par Clemenceau et Ferry, exige la démission du président, déjà âgé de quatre-vingts ans. Les chansonniers entonnent « *Quel malheur d'avoir un gendre !* », tandis que dans le journal *Le Gaulois*, Alfred Capus signe ce bon mot : « *Jadis, on était décoré content. Aujourd'hui, on n'est décoré que comptant* ! » Dans un premier temps, le président Grévy s'accroche à son poste en se prévalant de son irresponsabilité constitutionnelle. Mais la fronde des parlementaires et la colère de la population sont si fortes que, le 2 décembre 1887, Grévy annonce finalement sa démission. Daniel Wilson, quant à lui, sera condamné en 1888. Le trafic d'influence n'étant pas puni à l'époque, il est cependant acquitté en appel. Et sera même réélu député, en 1893.

Ce scandale décrédibilisera les institutions républicaines et encouragera le mouvement boulangiste, qui fomentera un coup d'État.

82.

Pourquoi l'affaire Dreyfus a-t-elle permis la création d'Israël ?

Le 14 mai 1948, est officiellement proclamée la naissance de l'État d'Israël par son président, David Ben Gourion. Si la création de cet État en Palestine s'est imposée aux Nations unies après le génocide des juifs d'Europe durant la Seconde Guerre mondiale, l'idée de sa création a véritablement été popularisée un demi-siècle plus tôt au moment de l'affaire Dreyfus. Pourquoi ?

L'idée de fonder un État juif sur les terres de l'ancien royaume d'Israël émerge au XIXe siècle, en même temps que les nationalismes européens. En 1862, le philosophe allemand Moses Hess publie ainsi un livre intitulé *Rome et Jérusalem*, dans lequel il sollicite l'établissement d'un foyer juif en Palestine, mais l'ouvrage ne trouve alors guère d'écho. Ce nationalisme est défini par le mot « sionisme », forgé par le journaliste autrichien Nathan Birnbaum. C'est en 1895 que ce mouvement, qui peinait jusque-là à s'affirmer, va se retrouver propulsé sur le devant de la scène, à la suite d'un scandale militaire, politique et judiciaire.

À la fin de l'année précédente, le capitaine Alfred Dreyfus, injustement accusé de trahison, a été arrêté et condamné au bagne à perpétuité par un tribunal militaire. Le 5 janvier 1895, il est dégradé dans la cour des Invalides et envoyé au bagne de l'île du Diable, en Guyane. Présent à Paris lors de la dégradation du capitaine, un jeune journaliste hongrois de confession juive, Theodor Herzl, couvre l'affaire. En France, peu nombreux sont ceux qui croient encore en l'innocence de Dreyfus, malgré ses constantes dénégations. Révolté par le climat d'antisémitisme qui s'installe en France, Herzl en conclut que l'assimilation des juifs d'Europe est une chimère et que ses coreligionnaires doivent impérativement posséder leur propre pays.

En février 1896, Herzl publie *L'État juif*, dont il situe la création en Palestine et où pourraient se réfugier tous les juifs victimes de persécution en Europe. Ce livre et la thèse qui en découle rencontrent immédiatement un grand succès chez les juifs d'Europe centrale et orientale victimes de persécutions. En août 1897, est organisé à Bâle le premier Congrès sioniste, présidé par Herzl et réunissant plus de deux cents délégués. La même année, Herzl publie *La Vieille Terre nouvelle*, un roman utopique qui décrit le futur État juif. Considéré comme la profession de foi littéraire de son auteur, le livre est pourtant reçu avec suspicion. Il faut dire que le sionisme se heurte alors à une forte opposition ou à une certaine indifférence, aussi bien de la part des juifs assimilés que des juifs orthodoxes.

La mort d'Herzl en 1904 ne met pas fin au mouvement sioniste, qui bénéficiera de l'appui de riches philanthropes, comme le baron de Rothschild. En 1917, la déclaration Balfour, du nom du ministre britannique des Affaires étrangères, donnera au mouvement sioniste sa première assise juridique internationale. Il faudra malheureusement qu'ait eu lieu la tragédie de la Shoah, pour que le rêve d'Herzl puisse devenir enfin réalité.

83.

Pourquoi la reine Victoria est-elle surnommée la « grand-mère de l'Europe » ?

Pour avoir régné soixante-trois ans et sept mois sur le trône d'Angleterre, un record dans l'histoire du Royaume-Uni, la reine Victoria est sans doute la plus célèbre souveraine britannique. Issue de la maison de Hanovre, on l'a baptisée après sa mort « la grand-mère de l'Europe ». D'où lui vient ce surnom ?

La reine Victoria ne le doit pas à la longévité de son règne, mais au nombre de ses descendants, que l'on retrouve aujourd'hui dans la quasi-totalité des familles régnantes d'Europe. Deux facteurs expliquent une telle destinée. D'une part, les neuf enfants auxquels elle a donné naissance et les quarante-deux petits-enfants qui ont suivi. D'autre part, la suprématie de l'Empire britannique, qui incita les autres dynasties européennes à contracter des alliances matrimoniales avec ses héritiers.

Ainsi, la fille aînée de Victoria, Vicky, épouse du roi de Prusse et empereur allemand Frédéric III, est la mère de l'empereur allemand Guillaume II, dont descendent Constantin II de Grèce et sa sœur Sophie, l'épouse de Juan Carlos Ier d'Espagne. Son fils aîné, qui lui succède sous le nom d'Édouard VII, est l'ancêtre de l'actuelle dynastie des Windsor. La fille d'Édouard VII, Maud de Galles, a épousé le roi Haakon VII de Norvège. Enfin, trois des petites-filles de Victoria ont également connu un destin illustre : Alexandra s'est mariée avec le dernier tsar de Russie, Nicolas II ; Margaret a épousé le roi Gustave VI Adolphe de Suède, et leur fille Ingrid est devenue reine de Danemark ; Victoire-Eugénie, enfin, est devenue l'épouse du roi d'Espagne Alphonse XIII, grand-père de Juan Carlos.

Toutefois, en matière d'héritage, celui de Victoria fut aussi désastreux – bien malgré elle. Porteuse du gène de l'hémophilie – une maladie qui se transmet par la mère mais dont seuls souffrent les enfants mâles –, la reine et impératrice a contaminé plusieurs de ses héritiers. Douze princes de sa descendance en souffrirent directement.

Son plus jeune fils, Léopold, en mourut à l'âge de trente et un ans. Et trois de ses arrière-petits-fils furent particulièrement affectés : Alphonse et Gonzalve, tous deux fils d'Alphonse XIII d'Espagne, décédèrent d'une hémorragie interne, chacun à la suite d'un accident d'automobile, le premier à trente et un ans et le second à vingt ans.

Quant au fils du tsar Nicolas II et d'Alexandra Fedorovna, le tsarévitch Alexis, que seul le moine Raspoutine, dit-on, parvenait à soulager de sa maladie, il fut (jusqu'à preuve du contraire) assassiné à quatorze ans par les bolcheviques en juillet 1918.

La Première Guerre mondiale – une guerre entre cousins – aura malheureusement raison des liens familiaux. Un siècle et demi après le règne de Victoria, les héritiers des trônes d'Europe peuvent cependant être reconnaissants à leur ancêtre commun.

84.

Pourquoi Édouard VII est-il le père de l'Entente cordiale ?

Le 8 avril 1904, est signée la célèbre « Entente cordiale » entre le Royaume-Uni et la République française. Les bases de ce rapprochement historique entre les deux nations, ennemies héréditaires depuis le Moyen Âge, ont été posées cinquante ans plus tôt par Louis-Philippe et Napoléon III. Mais sa concrétisation revient indiscutablement au roi d'Angleterre Édouard VII. Pourquoi ?

À la fin du XIXe siècle, le Royaume-Uni est très inquiet de l'émergence de l'Empire allemand, en passe de devenir la première puissance industrielle d'Europe. Le chancelier Bismarck obtient en 1882 la formation d'une alliance avec l'Autriche-Hongrie et l'Italie, dans le but de se prémunir d'une guerre contre la Russie et la France. Poursuivant cette politique, l'empereur Guillaume II lance la construction d'une immense flotte de guerre, capable de rivaliser avec la Marine anglaise. Monté sur le trône en 1901 à la mort de sa mère Victoria, Édouard VII ne s'entend pas avec son neveu Guillaume II et cherche à se rapprocher de la France, dont il apprécie grandement la culture.

La main tendue du nouveau roi d'Angleterre suscite très vite l'intérêt du ministre français des Affaires étrangères, Théophile Delcassé, un républicain hanté par la défaite de

1871 et la perte de l'Alsace-Moselle. Grâce à l'ambassadeur de France à Londres, Paul Cambon, les termes d'une alliance entre les deux pays se dessinent rapidement. Seul problème : l'opinion publique française reste extrêmement hostile aux Anglais, surtout depuis l'incident de Fachoda et la guerre des Boers. Les luttes coloniales entre les deux pays font alors rage en Afrique. Pour rallier l'opinion française à sa cause, Édouard VII tente alors un pari assez risqué : une visite officielle de trois jours à Paris.

Le 1er mai 1903, le roi d'Angleterre est reçu chaleureusement par le président Émile Loubet, mais l'accueil des Parisiens est glacial. Des badauds provoquent le prestigieux visiteur aux cris de : « Vive Jeanne d'Arc ! » Un officier de sa suite lui aurait dit : « Les Français ne vous aiment pas. » Et le roi de répliquer, sans renoncer à sa belle humeur : « Pourquoi nous aimeraient-ils ? » Dans sa jeunesse, celui qui n'était alors que prince de Galles a souvent séjourné à Paris, goûtant sans réserve à tous les plaisirs de la Ville-Lumière. Sa bonhomie naturelle, ses bons mots relayés par la presse, mais aussi son goût des femmes et son intérêt passionné pour la culture française vont créer un fort courant de sympathie populaire. Et cette démonstration de charme finit par payer, puisque le voyage royal s'achève sous les acclamations d'une foule parisienne conquise.

C'est ce voyage triomphal qui permet, un an plus tard, la signature de la fameuse Entente cordiale. S'il s'agit pour l'heure d'un simple accord réglant les différends coloniaux, le lien sera renforcé année après année et conduira à une alliance pleine et entière à la veille de la Première Guerre mondiale.

85.

Pourquoi le roi de Norvège est-il d'origine danoise ?

Depuis l'indépendance de la Norvège, il y a un peu plus d'un siècle, trois rois se sont succédé à la tête de cette monarchie parlementaire et prospère du nord de l'Europe. Clin d'œil de l'Histoire : ces rois ne sont pas d'origine norvégienne, mais danoise. Pour quelles raisons ?

En 1814, en pleine déroute de l'Empire napoléonien, la Norvège, alors rattachée au Danemark, est annexée par la Suède. Si cette union est d'abord plutôt bien acceptée par les Norvégiens, ces derniers supportent de moins en moins de ne pouvoir décider eux-mêmes de leur politique étrangère et commerciale. Après une série de crises, qui manque se solder par une intervention militaire suédoise, une commission autorise l'organisation d'un référendum sur le statut de la Norvège au printemps 1905. L'indépendance est approuvée à une écrasante majorité. Aussitôt, un comité gouvernemental se met à la recherche, parmi les membres des familles royales européennes, du meilleur candidat au trône de Norvège.

Très vite, un postulant s'impose : le prince Charles de Danemark, petit-fils du roi Christian IX et fils du futur Frédéric VIII. Âgé de trente-trois ans, il a déjà un fils qui pourra lui succéder et, surtout, il est marié à sa cousine germaine Maud, princesse d'Angleterre et d'Irlande, fille du roi Édouard VII. Une alliance avec la famille royale britannique serait évidemment un avantage pour cette Norvège nouvellement indépendante. Cependant, pour monter sur le trône en toute légitimité, Charles de Danemark exige que le maintien de la monarchie soit préalablement approuvé par référendum. C'est chose faite le 13 novembre 1905, avec le consentement de près de 80 % des suffrages. Cinq jours plus tard, Charles de Danemark devient officiellement roi de Norvège sous le nom d'Haakon VII.

Lorsqu'en 1940, la Norvège est envahie par les troupes allemandes, le roi refuse de se soumettre aux diktats du Troisième Reich en acceptant un Nazi pour ministre d'État. Exfiltré par les forces anglaises, il forme depuis Londres un gouvernement en exil. Lorsque les Allemands exigent son abdication, le menaçant d'envoyer dans les camps tous les jeunes Norvégiens en âge de combattre, il rejette courageusement l'ultimatum. Haakon VII devient un tel symbole que les résistants norvégiens adoptent son monogramme « H7 » pour signe de ralliement, en solidarité avec leur roi en exil.

À la mort du roi en 1957, son fils monte sur le trône sous le nom d'Olaf V. Son petit-fils Harald devient, à vingt ans, le nouveau prince héritier. Il est le premier prince de Norvège natif du pays depuis 1370. Durant la Seconde Guerre mondiale, il vit à Washington avec sa mère et ses deux sœurs. Il a huit ans lorsqu'il retourne dans sa patrie en 1945. En 1991, Harald V devient à son tour roi de Norvège, prolongeant la fière dynastie norvégienne fondée par son grand-père danois.

86.

Pourquoi la laïcité ne s'applique-t-elle pas en Alsace ?

Le 9 décembre 1905 est votée en France la loi de séparation des Églises et de l'État. Elle met fin au Concordat signé un siècle plus tôt entre Napoléon et le pape Pie VII. Désormais, l'État français ne salariera et ne subventionnera aucune religion. Cette loi historique, qui est aujourd'hui encore une particularité française sans équivalent dans le monde, est à l'origine de ce que l'on appelle la laïcité. Pourtant, trois départements, le Haut-Rhin, le Bas-Rhin et la Moselle, ne sont pas concernés et disposent d'un statut d'exception. Pourquoi ?

La loi de 1905 résout vingt ans de tensions entre la République et l'Église catholique. Proclamant la liberté de conscience et garantissant le libre exercice des cultes, elle s'applique aux quatre confessions alors représentées en France : les catholiques, les protestants luthériens, les réformés calvinistes et les israélites. À cette date, l'Alsace et la Moselle ne font pas partie de la République française. Battue par les Prussiens lors de la guerre de 1870, la France a conclu avec l'Empire allemand, le 10 mai 1871, le traité de paix de Francfort qui prévoit l'annexion par l'Allemagne de l'Alsace, terre de culture germanique conquise deux siècles plus tôt par Louis XIV. Cette mesure concerne également Metz et la Lorraine du Nord (actuel département de la Moselle), pourtant de culture française. Ces cessions ont été exigées par Guillaume Ier en compensation des sacrifices de guerre. Néanmoins, en échange du droit pour les Allemands de défiler à Paris, le chef du pouvoir exécutif Adolphe Thiers est parvenu à conserver l'arrondissement de Belfort, ville alsacienne qui avait héroïquement résisté lors d'un siège de plus de cent jours. Ce qui explique la création du département autonome du territoire de Belfort.

La germanisation de l'Alsace et de la Moselle entraîne l'émigration de plusieurs milliers de personnes, en particulier vers Paris et l'Algérie française. Quand en 1918 l'Alsace et la Moselle redeviennent françaises, elles se voient conférer un statut provisoire qui les maintient dans le Concordat. En 1924, le chef du gouvernement Édouard Herriot envisage de faire appliquer en Alsace-Moselle la loi de 1905, mais la résistance des populations locales est si vive qu'il y renonce, par peur d'attiser les vélléités autonomistes. L'année suivante, le Conseil d'État confirme juridiquement cette exception.

Voilà pourquoi, encore aujourd'hui, en application de l'ancien Concordat, les curés, pasteurs et rabbins du Haut-Rhin, du Bas-Rhin et de la Moselle sont rémunérés par l'État, et les évêques de Metz et de Strasbourg nommés par le ministre de l'Intérieur. Dans ces trois départements, la construction et l'entretien des lieux de culte sont payés par les communes, et l'enseignement religieux est obligatoire dans les écoles publiques.

87.

Pourquoi Clemenceau était-il surnommé « le Tigre » ?

Figure clé de la IIIe République dont il fut président du Conseil à deux reprises, Georges Clemenceau a hérité de deux surnoms. Celui de « Père la Victoire » lui est attribué à l'issue de la Première Guerre mondiale pour son rôle déterminant, en tant que chef de l'exécutif, dans la victoire française. Mais c'est bien évidemment celui de « Tigre » qui lui reste le plus attaché. D'où vient ce sobriquet ?

Député de Paris dès le début de la IIIe République, Georges Clemenceau connaît rapidement la notoriété en raison de ses talents d'orateur. Classé alors à l'extrême gauche de l'échiquier politique, il prend la tête des parlementaires les plus intransigeants et s'affirme comme l'un des principaux opposants à la politique opportuniste de Jules Ferry. Sa pugnacité lui vaut d'être qualifié de « tombeur de ministères ». À la suite de sa compromission dans le scandale de Panama, il s'éloigne de la politique. C'est alors en journaliste qu'il revient sur le devant de la scène. En pleine affaire Dreyfus, il exige une justice équitable pour le capitaine dégradé, mettant en jeu l'honneur même de la France. En quatre ans, il publiera près de 700 articles dreyfusards.

En 1902, Clemenceau est élu sénateur du Var. Quatre ans plus tard, à l'âge de soixante-cinq ans, il accède pour la première fois à un portefeuille ministériel, devenant ministre de l'Intérieur dans le gouvernement de Ferdinand Sarrien. C'est alors que le journaliste Émile Buré, son ancien collaborateur au journal *L'Aurore*, devenu son chef de cabinet aurait déclaré, après avoir vu Clemenceau rappeler à l'ordre un préfet avec une hargne impressionnante : « *J'ai cru voir un tigre !* »

La métaphore fera long feu, tant elle illustre parfaitement la personnalité de l'intéressé. Car c'est avec brutalité que Clemenceau vilipende ses adversaires politiques, sans ménagement qu'il rabroue ses collaborateurs, et avec une poigne de fer qu'il gère son ministère. Celui qui se définit comme « le premier flic de France » se révèle un redoutable briseur de grèves. Pendant la Première Guerre mondiale, il se montre tout aussi inflexible en tant que président du Conseil. Sans doute faut-il également évoquer la moustache que l'homme entretenait avec soin… Mais ce sont ses brigades régionales de police mobile qui assurent au « Tigre » sa plus durable notoriété. Ancêtre de l'actuelle police judiciaire, ce service impressionne par ses innovations : personnel entraîné aux techniques de combat, ressources technologiques (télégraphes, téléphones, automobiles) et méthodes d'investigation révolutionnaires (anthropométrie et empreintes digitales). Les fameuses « brigades du Tigre » seront immortalisées à la télévision, et encore récemment au cinéma.

Flatté, Clemenceau ne fit jamais rien pour décourager l'emploi de son surnom, alors même qu'il avouait ne guère aimer ce carnassier : « *Tout en mâchoire et peu de cervelle. Cela ne me ressemble pas.* »

88.

Pourquoi le FBI doit-il sa fondation au petit-neveu de Napoléon ?

Basé à Washington, immortalisé par de nombreux films et séries télévisées, le FBI est le service de police le plus célèbre au monde. Durant près de cinquante ans, son histoire reste intimement associée à la personnalité de son directeur, le controversé John Edgar Hoover. Toutefois, ce n'est pas à lui que le FBI doit son existence, mais à Charles Bonaparte-Patterson, petit-neveu de l'Empereur des Français. Explications.

En 1803, Jérôme Bonaparte, le plus jeune frère de Napoléon, est envoyé en mission aux Antilles. En chemin, il fait halte à New York, où il rencontre et épouse une jeune américaine, Elizabeth Patterson. De cette union naît un fils, Jérôme Napoléon Bonaparte. À son tour, ce dernier se marie avec une Américaine, fille d'un riche homme d'affaires de Baltimore. Elle lui donne également un fils : Charles Bonaparte, dont le parcours va se révéler prestigieux.

Diplômé de Harvard, Charles se lance en politique dans le camp des républicains. En 1905, il obtient le secrétariat à la Marine dans le gouvernement de Theodore Roosevelt. L'année suivante, il est nommé *general attorney* des États-Unis, poste éminent qui correspond au ministre de la Justice. L'une de ses principales prérogatives est alors de mener sur l'ensemble du territoire américain une série d'investigations contre le crime organisé ou tout manquement à la loi antitrust.

Bonaparte se heurte aussitôt à un sérieux manque d'effectifs. Il décide de faire appel à des enquêteurs du ministère du Trésor public, ainsi qu'à des membres des services secrets. Mais ce recrutement déplaît fortement au Congrès, qui interdit en 1908 d'employer des agents issus d'autres ministères. Qu'à cela ne tienne ! Après une efficace campagne de lobbying, Bonaparte finit par obtenir, le 26 juillet 1908, l'autorisation d'embaucher ses propres enquêteurs au sein d'un service créé tout spécialement : le *Bureau of Investigation* (BOI).

C'est ainsi que sont recrutés les vingt-cinq premiers agents spéciaux, les futurs *G-Men* (les hommes du Gouvernement). L'une de leurs premières missions est la lutte contre les réseaux de proxénétisme dans le cadre de l'application du « Mann Act », loi fédérale qui interdit le trafic de femmes blanches entre les États. En 1935, le BOI sera rebaptisé FBI (*Federal Bureau of Investigation*).

Un homme évince alors complètement le souvenir de notre Bonaparte. Nommé à la direction de l'Agence en 1924, John Edgar Hoover va la façonner à son gré pendant un demi-siècle. Écartant impitoyablement tous les subordonnés susceptibles de lui faire de l'ombre, Hoover établit également les règles de recrutement de ses agents : des hommes, blancs, portant toujours costume, cravate et chapeau, diplômés d'une université et, si possible, ex-joueurs de football américain…

Pour la petite histoire, le terme « bureau », mot typiquement français et inusité en anglais, avait été choisi par Charles Bonaparte en hommage à ses origines françaises !

89.

Pourquoi le marathon doit-il sa distance exacte à la famille royale d'Angleterre ?

Puisant son origine dans l'Antiquité, le marathon est sans conteste l'épreuve sportive la plus mythique. On croit souvent que sa distance de 42,195 kilomètres correspond à celle parcourue en 490 avant J.-C. par le messager Philippidès, mort d'épuisement après avoir couru de Marathon à Athènes pour annoncer la victoire des Athéniens sur les Perses. Eh bien, non ! Le marathon doit sa longueur officielle à la famille royale d'Angleterre. Voici pourquoi.

En 1896, Athènes organise les premiers Jeux olympiques de l'ère moderne, conformément au vœu de Pierre de Coubertin. L'épreuve du marathon – qui n'a jamais été disputée durant l'Antiquité – fait alors son apparition. Le héros de cette première édition est un berger grec de vingt ans du nom de Spiridon Louis : il remporte l'épreuve en courant les 40 kilomètres séparant l'antique champ de bataille de Marathon du stade d'Athènes reconstruit pour l'occasion.

Douze ans plus tard, en 1908, les Anglais se voient attribuer l'organisation des Jeux après la défection des Italiens, une irruption du Vésuve ayant occasionné de trop importants dégâts sur leur sol. Acceptée dans la précipitation, cette nouvelle édition se déroule à la perfection.

Les organisateurs britanniques sont attentifs au moindre détail, veillant en particulier au confort de la famille royale. Ainsi, afin de permettre aux petits-enfants d'Édouard VII et d'Alexandra d'assister au départ de la course, les coureurs partiront de partir de la terrasse du château de Windsor. L'arrivée est prévue au pied de la loge royale dans le stade olympique de White City, à exactement 42,195 kilomètres de là. Cette distance deviendra la longueur officielle du marathon.

Lors de ces mêmes Jeux de 1908, le marathon s'achève sur un incroyable scénario. L'Italien Dorando Pietri s'apprête à remporter la course. Il va permettre ainsi à son pays de compenser la frustration de n'avoir pu accueillir les Jeux. Soudain, à l'entrée du stade, à une centaine de mètres de l'arrivée, Pietri titube et s'effondre d'épuisement.

Plusieurs spectateurs (dont le célèbre Conan Doyle, père de Sherlock Holmes) décident de le soutenir pour qu'il puisse terminer sa formidable course, après 2 h 54 d'effort. Il s'en faudra de peu qu'il ne meure comme Philippidès. Évacué sur une civière, le marathonien reste plusieurs heures entre la vie et la mort. Pendant ce temps, il est disqualifié, sous les sifflets du public, à la demande des Américains qui réclament l'attribution de la victoire à leur candidat John Hayes, sous prétexte que Pietri a été porté. Mais la reine Alexandra, émue par son courage, lui remettra un trophée identique à celui du vainqueur.

90.

Pourquoi la tour Eiffel n'a-t-elle pas été démontée comme prévu ?

La tour Eiffel s'est imposée en deux siècles comme le symbole de Paris et même de la France. Bien qu'elle ne soit plus, depuis longtemps, le plus haut édifice du monde, la « Vieille dame » bénéficie de l'attachement des Parisiens et des faveurs des touristes. Aussi est-on surpris d'apprendre que la tour n'était à l'origine qu'une attraction provisoire et qu'elle aurait dû être démontée. Pourquoi ?

La tour Eiffel fut construite en 1889, à l'occasion de l'Exposition universelle de Paris. Cette manifestation internationale correspondait à la célébration du centenaire de la Révolution française. Trois ans plus tôt, le commissaire général de l'Exposition, Édouard Lockroy, a donc lancé un concours, ouvert à tous les architectes et ingénieurs, afin « *d'élever sur le Champ-de-Mars une tour en fer à base carrée de 125 mètres de côté à la base et de 300 mètres de hauteur* ». Le 12 juin 1886, le projet de Gustave Eiffel est décrété vainqueur. Entrepreneur spécialisé dans la construction de structures métalliques, l'ingénieur avait déjà réalisé plusieurs viaducs, ainsi que la structure de la statue de la Liberté, à New York. La conception de la tour est en fait l'œuvre de deux ingénieurs : Maurice Kœchlin et Émile Nouguier.

Gustave Eiffel se voit attribuer la jouissance de l'exploitation de la tour pour une période de vingt ans, à compter du 1er janvier 1890. Il est bien stipulé qu'après cette date, l'édifice sera cédé à la ville de Paris et démonté. En janvier 1887, les travaux de construction commencent. Les 18 000 pièces de structure en fer puddlé (plus facile à travailler que l'acier), qui totalisent un poids total de plus de 10 000 tonnes, sont forgées et assemblées en seulement deux ans et deux mois. Le 31 mars 1889, la tour est inaugurée en avant-première par son créateur Gustave Eiffel. D'une hauteur de 318 mètres, elle devient le plus haut monument du monde, devant la pyramide de Khéops. Lors de l'Exposition universelle, pas moins de 2 millions de visiteurs en font l'ascension. Or, la destruction de la tour reste programmée.

Pour l'éviter, Gustave Eiffel met en avant l'utilité scientifique de son édifice, en faisant aménager à son sommet un véritable laboratoire de recherche. On y réalise alors toutes sortes d'expériences : observations météorologiques et astronomiques, aérodynamisme, résistance à l'air, vitesse de la chute des corps, etc. Mais c'est surtout la transmission radiophonique qui va sauver la tour Eiffel. Le 5 novembre 1898, l'installation d'un poste émetteur permet à Eugène Ducretet d'établir la première liaison radio française entre la tour Eiffel et le Panthéon. Cinq ans plus tard, Eiffel a l'idée de mettre à disposition de l'armée française le dernier étage de sa tour, afin d'y installer des antennes de TSF capables d'émettre et de recevoir sur près de 400 kilomètres. Acquérant une fonction scientifique et géostratégique (qui s'avérera très utile durant la Première Guerre mondiale) en tant que premier relais radio de France, la tour Eiffel échappe ainsi à la démolition. Espérons que ce sera pour toujours !

91.

Pourquoi la tragique « bataille du Chemin des Dames » de 1917 a-t-elle porté ce nom ?

En avril 1917, l'armée française commandée par le général Nivelle lance une sanglante offensive en Picardie. Le but est de rompre le front allemand entre Soissons et Reims. Le résultat sera considéré, selon les points de vue, comme une grave défaite stratégique ou une demi-victoire coûteuse en vies humaines. La « bataille du Chemin des Dames » demeure en tout cas tristement célèbre. Mais d'où lui vient ce nom insolite ?

Le Chemin des Dames désigne un escarpement d'une trentaine de kilomètres, qui s'étire de Craonne au moulin de Laffaux, entre Laon et Soissons. C'est sur cette route de crête que plus de trente mille soldats français, en grande partie originaires des colonies, perdent la vie en dix jours. Et tout cela pour rien. Car malgré l'engagement des premiers blindés français, le front n'aura avancé que de 500 mètres au lieu des 10 kilomètres escomptés. L'effroi et le désespoir sont tels que des mutineries ne tardent pas à éclater, contraignant le commandement français à une série de sanctions exemplaires. D'aucuns pensent depuis que le Chemin des Dames fut baptisé ainsi en hommage aux valeureuses infirmières venues apporter leur aide aux innombrables blessés ou bien encore aux milliers de veuves qui pleurèrent ensuite leurs morts. Il n'en est rien.

Le nom de ce lieu-dit remonte au XVIIIe siècle. En 1776, la duchesse de Narbonne, ancienne dame d'honneur d'Adélaïde, fille de Louis XV, fait l'acquisition du château de la Bove, situé près de Bouconville, dans l'Aisne. On ne peut alors y accéder qu'en empruntant un petit chemin sur lequel les carrosses roulent difficilement. Désirant convier dans son château Adélaïde et sa sœur Sophie, la duchesse de Narbonne sollicite l'administration des Ponts et Chaussées afin qu'une route soit construite pour en permettre l'accès au carrosse des filles du roi. La requête est acceptée et une partie du chemin empierré. Les filles de Louis XV portant le titre de Dames de France, la route est baptisée « Chemin des Dames ». Ironie du sort : achevée vers 1789, la route ne fut vraisemblablement jamais utilisée par Adélaïde et sa sœur. Elle conserva pourtant son nom.

De mal nommé, ce fameux Chemin des Dames devint le symbole de l'innommable. Du sacrifice inutile, de la boucherie humaine. Le gouvernement français réagit à la fois en tentant de remonter le moral des troupes et en sanctionnant sévèrement les faits d'indiscipline. Parallèlement, il reprit en main les affaires militaires. Une commission d'enquête fut nommée, qui aboutit simplement à la mutation de Nivelle. À la tête du grand quartier général français, fut alors placé un nouveau militaire, dont on n'avait pas fini d'entendre parler : Philippe Pétain.

92.

Pourquoi Pétain était-il populaire parmi les Poilus ?

On peut difficilement comprendre pourquoi le peuple français a accordé toute sa confiance au maréchal Pétain après la défaite de 1940, lui permettant de mener le pays dans une politique de collaboration, sans évoquer son rôle durant la Première Guerre mondiale. Le fait est que ce chef militaire bénéficia d'une grande popularité auprès des Poilus. Comment l'explique-t-on ?

En 1914, Pétain n'est que colonel et il s'apprête à partir en retraite lorsque la Grande Guerre éclate. À la tête de la 4e brigade d'infanterie, il se distingue en Belgique. Dès le 31 août, il est promu général de brigade, puis quinze jours plus tard il devient général de division. Le mois suivant, il est fait général d'armée et, à la tête du 33e corps, il réalise en Artois une offensive appuyée par l'artillerie, qui épargne la vie de nombreux soldats français. Son tempérament calme et sa pondération le rendent vite célèbre et respecté parmi ses hommes. Nommé à la tête de la 2e armée, il est chargé de défendre Verdun en février 1916, au moment où la situation s'annonce très délicate. Son sens du détail et de l'organisation – il est surnommé « Précis le sec » – pèse favorablement sur l'issue de la bataille. Il gagne alors le titre glorieux de « vainqueur de Verdun », qui ne le quittera plus.

Pétain se distingue par l'attention qu'il porte au confort des soldats, veillant notamment à la question du ravitaillement et de l'évacuation des blessés. En mai 1917, il succède à Nivelle à la tête de l'armée française après la tragédie du Chemin des Dames. Contrairement à son prédécesseur, adepte de l'offensive à outrance et fort peu économe du sang des Poilus, Pétain se montre prudent – trop selon ses détracteurs – et soucieux d'épargner la vie de ses hommes. Lorsqu'il doit faire face à un important mouvement de mutineries, il parvient à réinsuffler le moral à l'armée et réinstaure la cohésion en améliorant la vie quotidienne des soldats. Il multiplie les remises de décorations et les permissions, mais demeure d'une grande fermeté face aux mutins, limitant toutefois le nombre d'exécutions pour l'exemple, contrariant ainsi les ordres des politiques. Enfin, Pétain visite lui-même les cantonnements et aime deviser avec les hommes de troupe, sur un ton d'ironie féroce qui lui vaut son autre surnom de « Prince sans rire ».

Après avoir conduit l'armée française jusqu'à la victoire, Pétain reçoit le bâton de maréchal de France le 8 décembre 1918. Il est alors au zénith de sa popularité tant parmi les Poilus que dans l'opinion publique. Devenu une légende vivante après la guerre, Pétain remarque à l'École de guerre un jeune et brillant officier, dont il fait son aide de camp : Charles de Gaulle. Partageant les mêmes conceptions stratégiques, les deux hommes deviennent des intimes jusqu'à leur brouille en 1938 au sujet d'un livre de De Gaulle. Le drame de la Seconde Guerre mondiale les opposera radicalement.

93.

Pourquoi Victor Hugo est-il l'icône d'une religion vietnamienne ?

Fort de plusieurs millions d'adeptes au Vietnam, le *caodaïsme* est une religion inspirée du bouddhisme, du confucianisme, du taoïsme et du christianisme. Sur les murs de son grand temple, on peut voir les portraits de trois maîtres spirituels : le poète vietnamien Nguyên Binh Khiêm, le révolutionnaire chinois Sun Yat-sen – et Victor Hugo. Pourquoi l'écrivain français figure-t-il au panthéon de cette religion ?

Lorsqu'en 1919, Ngô Van Chiêu fonde le caodaïsme, le Vietnam est une colonie française qui compose l'Indochine. Les Français y diffusent largement l'œuvre de Victor Hugo, écrivain prolifique et homme politique engagé. Le grand homme sera même l'un des premiers romanciers français traduits en vietnamien. En affichant leur respect pour Hugo, on peut raisonnablement penser que les caodaïstes ont cherché à s'attirer les bonnes grâces des autorités coloniales – celles-ci reconnaîtront d'ailleurs la nouvelle religion dès 1926. À ce titre, Ngô Van Chiêu et ses disciples ont pu être sensibles à l'aspect social de la littérature de Victor Hugo, source d'espoir pour un peuple de colonisés aspirant à plus de liberté. Mais la présence de l'auteur français dans leur panthéon, aux côtés d'un Vietnamien et d'un Chinois, témoigne surtout d'une volonté universaliste. Par ailleurs, la vénération d'un écrivain occidental s'inscrit en droite ligne de nombreux mouvements intellectuels chinois et vietnamiens de l'époque, qui voyaient dans l'occidentalisation de leurs sociétés traditionnelles une étape indispensable vers l'autonomie.

Le culte voué à Victor Hugo s'explique enfin par l'importance que les caodaïstes attachent à la communication avec les esprits des personnes défuntes. Ce rapport occulte est à l'origine même de la révélation de Ngô Van Chiêu. Or, l'écrivain français a tenté à plusieurs reprises d'entrer en communication avec sa fille Léopoldine, morte noyée à l'âge de dix-neuf ans, par le truchement de méthodes spirites. Ses diverses expériences (écriture automatique, tables tournantes) ont été rapportées dans de nombreuses revues qui circulent au Vietnam. Voilà donc pourquoi, sur les murs du grand temple caodaïste construit en 1933 près de la frontière cambodgienne dans la petite ville de Tây Ninh, à 100 kilomètres au nord-ouest de Hô Chi Minh-Ville, au milieu d'une étonnante diversité de styles mêlant éléments architecturaux européens et asiatiques, on découvre une peinture représentant Victor Hugo. Vêtu de son costume d'académicien, l'auteur des *Misérables* est en train d'écrire : « *Dieu et Humanité, Amour et Justice* ».

Précisons enfin que si Victor Hugo est élevé au rang de saint, le caodaïsme possède de nombreux autres guides spirituels, puisés dans toutes les cultures : Jeanne d'Arc, William Shakespeare, Lénine, Louis Pasteur, Winston Churchill, et même l'astronome Camille Flammarion !

94.

Pourquoi les années 1920 ont-elles été appelées les « années folles » ?

Les années d'immédiat après-guerre, de la signature du traité de Versailles en 1919 jusqu'à la crise de 1929, nous sont connues sous l'expression « les années folles ». Pourquoi ce surnom ?

Si la Première Guerre mondiale constitua un véritable traumatisme pour les populations européennes – par sa longueur, sa barbarie, ses privations, sa censure, ses 10 millions de morts – elle marqua également la fin d'un monde. Le conflit terminé, une génération nouvelle voit le jour, qui aspire à la liberté et à la joie de vivre. « Plus jamais ça ! » Une période d'enchantement facilitée par une croissance économique importante et rapide. Apparaissent alors les premières grandes revendications de l'émancipation des femmes, symbolisées par le personnage de la garçonne, du nom du livre de Victor Margueritte (1922).

L'époque se caractérise surtout par une effervescence culturelle et intellectuelle sans précédent. On voit émerger le mouvement surréaliste, qui révolutionne la création artistique dans les domaines du cinéma à la littérature en passant par les arts plastiques. L'avant-garde réinvente la poésie avec André Breton, Louis Aragon, Paul Éluard, ou la peinture avec Max Ernst, Joan Miró, Salvador Dalí, Francis Picabia.

Un génie français tel que Jean Cocteau exprime sa créativité pluridisciplinaire : roman, poésie, dessin, cinéma, théâtre, costumes, décors, etc. La majorité de ces artistes adhèrent au Parti communiste français, par volonté de rupture avec la bourgeoisie guindée.

Parallèlement, les Français se passionnent pour les musiques noires américaines, en particulier le jazz, ramené par les soldats américains à la fin de la Grande Guerre. En 1925, sur les Champs-Élysées, la *Revue nègre* présente aux spectateurs ébahis un monde nouveau de rythmes endiablés, de danses suggestives et de sensualité débridée. Se trémoussant dans un simple pagne de bananes, Joséphine Baker devient aussitôt une icône de la vie parisienne. Le renouveau du ballet marie le talent de divers artistes : c'est, en 1923, *La Création du monde* du compositeur Darius Milhaud, sur un scénario de Blaise Cendrars et des costumes de Fernand Léger. Les cafés-concerts cèdent la place au music-hall, animé par des vedettes bien parisiennes telles que Mistinguett et Maurice Chevalier.

Le cœur de ce bouillonnement culturel se trouve dans le quartier parisien de Montparnasse et les cafés du Dôme, de la Coupole et de la Rotonde. On y vient du monde entier : Gertrude Stein, Picasso, Modigliani, Hemingway, Scott Fitzgerald, Elsa Schiaparelli, Edith Wharton… C'est « le nombril du monde » selon Henry Miller, venu écrire ici sa série des *Tropiques*.

Cependant, cette époque inoubliable d'excentricité et d'exubérance a été surtout vécue par une petite élite fortunée ou artistique. Après l'envol de la Bourse, le krach boursier de 1929 sonne le glas de l'insouciance. Les « années folles » se réveillent avec la gueule de bois, pour des lendemains qui déchanteront rapidement.

95.

Pourquoi Paul Deschanel a-t-il dû démissionner seulement neuf mois après son élection à la présidence ?

En janvier 1920, Georges Clemenceau, qui a pourtant permis à la France de sortir victorieuse de la Première Guerre mondiale, échoue à l'élection présidentielle. Les parlementaires lui ont préféré un certain Paul Deschanel. Élu à soixante-six ans, après une longue carrière politique de quarante-cinq ans, il sera pourtant contraint de démissionner seulement neuf mois après son entrée en fonction. Pourquoi ?

L'aventure de ce président est l'une des plus étonnantes de l'Histoire de France. Paul Deschanel est victime de neurasthénie, passant d'un état d'excitation extrême à une profonde dépression. On le qualifierait aujourd'hui de bipolaire. Ses crises apparaissent dès les premiers jours qui suivent son élection, s'illustrant par une suite d'événements insolites et burlesques. Elles commencent dès le mois d'avril. Lors d'un voyage présidentiel sur la Côte d'Azur, devant les Niçois venus l'acclamer, Deschanel prononce un discours d'un ton extrêmement théâtral – et s'autorise à le bisser, sans explication. Plus tard, à Menton, lors d'un bain de foule, il ramasse dans la boue un bouquet de fleurs qu'on lui a lancé et le rejette dans la foule en l'accompagnant de baisers.

Mais l'épisode le plus déconcertant se produit dans la nuit du 23 au 24 mai 1920. Le train présidentiel se dirige de nuit vers Montbrison, où Deschanel est attendu pour une inauguration. Installé dans son wagon transformé en chambre à coucher, il tente d'ouvrir sa fenêtre et bascule dans le vide alors que le train roule ! Sa chute est heureusement sans gravité. Le président hébété est recueilli sur la voie par un cheminot et passe la nuit chez un couple de gardes-barrières. Lorsqu'au petit matin, ceux-ci découvrent l'identité de leur hôte, l'épouse aura ce mot savoureux : « J'avais bien vu que c'était un monsieur important : il avait les pieds propres ! » Quant aux raisons de cette chute rocambolesque, on émet aujourd'hui l'hypothèse d'une mauvaise réaction à la prise de certains médicaments.

Quoi qu'il en soit, cet incident déroutant et très commenté achève d'ébranler l'équilibre psychologique de Deschanel, qui se trouve incapable de présider les cérémonies du 14 juillet. On raconte encore qu'à l'occasion d'une promenade dans les jardins de l'Élysée en compagnie de deux parlementaires, le président aurait entrepris d'escalader un arbre. D'autres prétendent qu'il aurait signé des documents officiels du nom de Vercingétorix ou Napoléon et qu'il se serait baigné tout habillé dans le bassin du jardin de l'Élysée. Réalité ou médisance ? Aucune preuve formelle n'existe ici.

Pressé par ses médecins, Paul Deschanel présente sa démission, le 21 septembre, invoquant son état de santé. Il se retire ensuite dans une maison de soins, où il se remet progressivement de son surmenage. Le 9 janvier 1921, il sera même élu sénateur, puis président de la commission des Affaires étrangères. Avant de décéder, trois mois plus tard, d'une pleurésie.

96.

Pourquoi l'Iran est-il resté une monarchie après le coup d'État de 1921 ?

En 1921, le coup d'État de Reza Khan Pahlavi écarte du pouvoir la dynastie qui régnait sur l'Iran depuis la fin du XVIIIe siècle. L'éviction d'Ahmad Chah et l'inauguration d'une politique nationaliste moderniste pouvaient laisser espérer l'instauration d'une république. Il n'en est rien. Quatre ans plus tard, Reza Khan devient le nouveau chah d'Iran. Pourquoi ?

Reza Khan commande la garde personnelle de la famille royale d'Iran lorsqu'il s'empare du pouvoir, le 21 février 1921, après en avoir chassé Ahmad Chah – ce dernier sera envoyé en exil deux ans plus tard. Admirateur du modernisme d'Atatürk, Reza Khan engage son pays dans une série de réformes. Cependant, le nouvel homme fort d'Iran ne change pas radicalement de régime, et ce pour plusieurs raisons.

La première, c'est que les commerçants, les fonctionnaires et une partie de l'armée demeurent favorables au maintien de la monarchie, seul un roi étant en mesure selon eux de préserver le pays du désordre et de garantir la cohésion nationale.

D'autre part, le clergé iranien (chiite) refuse de voir s'établir dans le pays une république, qui serait synonyme de laïcité. En effet, à la même époque, la République turque de

Mustafa Kemal, grand admirateur de la France des Lumières, se construit en opposition à la religion musulmane. Athée, Atatürk retire à l'Islam le statut de religion d'État et abolit le califat en mars 1924, ce qui scandalise les masses musulmanes. Ajoutons que le clergé iranien, qui constitue l'un des ciments de l'identité iranienne, n'a aucun intérêt à voir modifié l'équilibre du pouvoir, dans lequel il bénéficie d'une large autonomie et dispose de propriétés terriennes considérables.

La troisième explication est plutôt d'ordre géopolitique. Depuis la découverte en 1908 de gisements de pétrole sur le sol iranien, le pays est convoité par le Royaume-Uni, qui tente par tous les moyens de réduire l'influence de la Russie au nord : une république serait beaucoup plus fragile et risquerait de basculer entre les mains des Soviétiques. Voilà comment, avec le concours des Britanniques, Reza Khan se fait couronner nouveau chah d'Iran, le 31 octobre 1925, sous le nom de *Reza chah Pahlavi*.

Pendant la Seconde Guerre mondiale, ayant refusé à l'Angleterre comme à l'URSS de traverser son territoire pour acheminer du matériel militaire, l'Iran sera envahi en août 1941 et le chah forcé d'abdiquer au profit de son fils de vingt-deux ans, Mohammad. La dynastie des Pahlavi régnera jusqu'à la révolution de 1979.

97.

Pourquoi l'Irlande est-elle divisée en deux ?

L'Irlande présente cette particularité d'être une île divisée en deux États. Au sud, la République d'Irlande, indépendante depuis moins d'un siècle. Au nord, l'Irlande du Nord, rattachée au Royaume-Uni. Comment s'est établie cette partition ?

L'Irlande est la plus ancienne des colonies britanniques. Dès le milieu du XIIe siècle, elle est placée sous la suzeraineté du roi d'Angleterre Henri II. Mais c'est sous les Tudor, à la fin du XVe siècle, que l'île se voit véritablement privée de son autonomie. Débute alors une colonisation de grande ampleur. En 1556, Marie Tudor impose le *système des plantations*, qui exproprie les fermiers irlandais de la quasi-totalité de leurs terres, au profit de presbytériens écossais et d'anglicans britanniques. Ces colons s'installent au nord-est de l'île, dans la province de l'Ulster.

La colonisation s'intensifie encore avec Oliver Cromwell, puis lors de l'arrivée au pouvoir de Guillaume d'Orange. Le but est de garantir l'Angleterre de tout risque d'invasion via l'Irlande. Discriminés socialement et économiquement, les Irlandais puisent alors dans leur religion catholique la force de supporter la présence britannique. À la fin du XVIIIe siècle, cependant, les révolutions américaine et française inspirent les nationalistes irlandais. La réponse du Premier ministre britannique ne se fait pas attendre : William Pitt le Jeune proclame en 1801 l'*Acte d'Union de l'Irlande et de la Grande-Bretagne*. Désormais, les affaires de l'île seront examinées par le Parlement de Westminster.

Entre 1845 et 1849, une terrible famine provoque la mort ou l'émigration de millions d'Irlandais. Les revendications d'indépendance, incarnées par l'idée du *Home Rule*, se répandent comme un feu de poudre dans les campagnes irlandaises. Sauf en Ulster, où les descendants des colons britanniques restent fidèles au Royaume-Uni. La réforme agraire de 1903, qui restitue l'essentiel des terres aux Irlandais, ne brise pas pour autant les poussées nationalistes. Et la terrible répression anglaise de Pâques 1916 ne fera qu'apporter le soutien de l'opinion publique mondiale aux indépendantistes.

De 1919 à 1921, une véritable guerre d'indépendance déchire l'Irlande, dont les Britanniques sortent vainqueurs. Toutefois, le Premier ministre Lloyd George se résout à proposer une partition de l'île : un parlement à Dublin pour les vingt-six comtés du sud à majorité catholique et un autre à Belfast pour les six provinces à majorité protestante. Sans surprise, les élections de mai 1921 se soldent par la victoire des indépendantistes au sud et des unionistes dans l'Ulster. Le 6 décembre 1921 est finalement signé le traité de Londres, qui accorde l'indépendance aux vingt-six comtés d'Irlande du Sud, avec le statut de *dominion*. L'Ulster reste quant à lui dans le Royaume-Uni, conformément aux vœux des unionistes majoritaires.

L'État libre d'Irlande est né. Mais une nouvelle guerre civile est en marche, plus terrible encore que la lutte pour l'indépendance entre Irlandais et Britanniques.

98.

Pourquoi la ville de Saint-Pétersbourg a-t-elle changé trois fois de nom ?

Ancienne capitale des tsars, Saint-Pétersbourg est aujourd'hui la deuxième ville de Russie, avec une population de 5 millions d'habitants. Au cours du xxe siècle, elle aura porté successivement trois noms différents : Saint-Pétersbourg, Petrograd et Leningrad. Pourquoi ?

En 1703, Pierre le Grand fait bâtir une forteresse dans le delta de la Neva, en bordure de la mer Baltique. Sur ce territoire arraché à la Suède, le tsar veut jouir d'une nouvelle capitale, plus proche de l'Occident que la vieille Moscou. La zone choisie est cependant inhospitalière : infesté de moustiques en été, le fleuve est pris dans les glaces cinq mois par an, et on estime à 150 000 le nombre d'ouvriers qui perdront la vie sur le chant de construction. Pierre le Grand baptise sa ville « Sankt-Petersburg », ce qui signifie en allemand (langue alors à la mode à la cour de Russie) *la ville de Saint-Pierre* – un nom qui n'est pas un hommage au tsar, mais à l'apôtre Pierre. En 1712, Saint-Pétersbourg est officiellement proclamée capitale de l'empire. Au cours du xviiie siècle, le centre-ville se développe sous la direction d'architectes souvent italiens, ce qui explique son style inimitable. Ce mélange de baroque et de néoclassicisme, ajouté à la présence des canaux, lui vaudra le surnom de « Venise du Nord ».

Deux siècles plus tard, lorsque la Première Guerre mondiale est déclarée, la culture allemande n'est plus en vogue en Russie. Par nationalisme, on décide de donner à la capitale impériale un nom qui sonne plus russe : Sankt-Petersburg devient « Petrograd » – littéralement *la ville de Pierre*. Qui est d'ailleurs toute en pierres ! Devenue le théâtre de la révolution d'Octobre en 1917, elle est vite jugée trop intimement liée à l'histoire des tsars. C'est pourquoi, dès l'année suivante, on lui retire son statut de capitale de la Russie, au profit de l'ancienne, Moscou. Mais Petrograd ne conservera pas son nouveau nom plus de dix ans. Puisque le 26 janvier 1924, quelques jours après la mort de Lénine, les Soviétiques choisissent de la rebaptiser en hommage au fondateur de l'URSS : Petrograd devient ainsi « Leningrad ». Ce troisième baptême permet du même coup à la jeune Union soviétique de faire symboliquement table rase de son passé impérial.

En 1990, la ville est inscrite sur la liste du patrimoine mondial de l'Unesco. Et l'année suivante, après la disparition de l'Union soviétique, un référendum est organisé à Leningrad proposant qu'elle retrouve son nom originel de *Saint-Pétersbourg*, un siècle après son abandon. Ce retour aux sources sera approuvé par la majorité de la population.

99.

Pourquoi Franco a-t-il reçu la Légion d'honneur ?

Le spirituel Oscar Wilde aimait dire au sujet de cette distinction française : « *La Légion d'honneur est un ordre de chevalerie auquel bien peu de Français ont la chance d'échapper.* » En réalité, cette décoration n'est pas réservée à nos compatriotes et nombre d'étrangers illustres en ont été décorés. Parmi eux, un cas étonnant, celui du général espagnol Franco. En quel honneur ?

En mars 1912, la France fait du Maroc un protectorat français. Quelques mois plus tard, elle concède l'extrême nord du pays à l'Espagne. Appelée le *Rif*, cette région montagneuse se montre particulièrement insoumise. En 1921, elle est le théâtre d'une véritable rébellion armée, menée par le chef Abdelkrim. Le 20 juillet, à Anoual, cet ancien journaliste passé à la révolte armée inflige une défaite cinglante aux colonisateurs : 14 000 soldats espagnols sont tués, blessés ou portés disparus dans la bataille, soit la quasi-totalité des troupes, sans compter le suicide de leur général. Fort de cette victoire, Abdelkrim se proclame, le 1er février 1922, président de la *République confédérée des tribus du Rif.*

Mais le rebelle berbère ne souhaite pas s'arrêter en si bon chemin. Il désire étendre la rébellion au reste du pays, toujours sous mandat français. Aussi décide-t-il, en 1925, de lancer une offensive vers le sud. Lyautey ayant démissionné, c'est le maréchal Pétain, tout auréolé de sa victoire de Verdun, qui prend alors le commandement des troupes françaises. Bénéficiant de larges moyens, le maréchal s'appuie sur l'aviation pour lancer une contre-offensive. Il peut compter en outre sur le soutien de la légion espagnole. Celle-ci est dirigée par un jeune militaire qui va s'illustrer avec brio dans le conflit et permettre aux Français d'écraser la rébellion : Francisco Franco. Élevé à ce grade en 1926, Franco devient à trente-quatre ans le plus jeune général de brigade d'Europe, acquérant une immense popularité dans son pays.

En 1930, le ministre français de la Guerre, André Maginot, visite la prestigieuse Académie militaire de Saragosse, dirigée depuis 1928 par le général espagnol. À la demande de Pétain, il décore Franco du grade de commandeur de la Légion d'honneur pour son comportement exemplaire lors de la guerre du Rif : il en va ainsi pour les étrangers qui se sont signalés par les services qu'ils ont rendus à la France ou aux causes qu'elle soutient.

Or quelques mois plus tard, en juillet 1931, Franco va prendre très mal la suppression de l'Académie par le nouveau gouvernement républicain espagnol. Il en tiendra longtemps rigueur à Manuel Azaña, le président du Conseil des ministres…

Aussi, cinq ans plus tard, Azaña devenu président de la République, Franco participe-t-il au soulèvement de la garnison espagnole de Melilla contre lui. Les historiens débattent encore aujourd'hui sur les tenants et les aboutissants de ce coup de force militaire. C'est en tout cas le début d'une guerre civile qui va durer trois ans et faire 500 000 morts, comme un sinistre prélude aux horreurs de la Seconde Guerre mondiale, où Franco se rangera aux côtés d'Hitler et de Mussolini.

100.
Pourquoi la reine du Royaume-Uni est-elle souveraine de quinze autres États à travers le monde ?

Élisabeth II n'est pas seulement la reine du Royaume-Uni. Elle est aussi le chef d'État de quinze autres pays souverains : Canada, Australie, Nouvelle-Zélande, Jamaïque, Papouasie-Nouvelle-Guinée, Bahamas, Barbade, Grenade, Salomon, Tuvalu, Sainte-Lucie, Saint-Vincent-et-les-Grenadines, Antigua-et-Barbuda, Belize et Saint-Christophe-et-Niévès. Soit 130 millions de sujets au total. Pourquoi ?

Au milieu du XIXe siècle, les Anglais comprennent qu'après l'indépendance des États-Unis, celle de leurs autres colonies est inéluctable. Aussi, afin d'éviter la dislocation totale de leur empire, prévoient-ils la création d'une communauté de nations qui associerait le Royaume-Uni et ses anciennes colonies. La première de ces colonies à se voir attribuer le titre de *dominion* est le Canada, en 1867. Ce statut lui garantit une autonomie presque totale, sauf en matière diplomatique. L'exemple est suivi au début du XXe siècle par l'Australie, la Nouvelle-Zélande, l'Afrique du Sud et l'Irlande. Ces dominions sont donc des États indépendants au sein de l'Empire britannique qui conservent pour chef – symbolique mais officiel – le monarque anglais.

La souveraineté des dominions est définitivement reconnue par le statut de Westminster de 1931, texte qui jette les bases du Commonwealth. Depuis cette date, le roi d'Angleterre hérite également des couronnes canadienne, australienne et néo-zélandaise – l'Afrique du Sud et l'Irlande étant devenues des républiques, de même que l'Inde. Après la Seconde Guerre mondiale, le Royaume-Uni accorde l'indépendance à toutes ses autres colonies. Certaines d'entre elles, presque exclusivement des petites îles caribéennes ou océaniennes, ont opté pour le statut de dominion. Appelées aujourd'hui « royaumes du Commonwealth », elles sont devenues des monarchies parlementaires dirigées par la reine d'Angleterre. Cette dernière est représentée symboliquement dans chacun de ces États par un gouverneur général. Les « royaumes du Commonwealth » ne sont cependant pas à confondre avec le Commonwealth, une association de 53 pays indépendants et souverains, présidée par la reine d'Angleterre, et dont le but est la promotion des échanges internationaux et des valeurs démocratiques. Plusieurs États n'ayant jamais été colonisés par le Royaume-Uni en font également partie, comme le Rwanda ou le Mozambique.

On le sait peu mais l'accord de ces quinze États reste aujourd'hui encore indispensable à toute modification des lois de succession au trône britannique. C'est ainsi qu'en octobre 2011, dans la ville australienne de Perth, les seize royaumes du Commonwealth ont abandonné la règle de priorité des garçons sur les filles pour succéder au trône britannique.

101.

Pourquoi la Seconde Guerre mondiale a-t-elle commencé en Asie ?

À la différence de la guerre de 1914-1918, les dates du déclenchement du second conflit mondial fluctuent selon les pays. Si la guerre est officiellement déclarée en 1939, ce n'est qu'au printemps 1940 que débutent les premiers combats en Europe de l'Ouest. En Russie et aux États-Unis, la guerre ne commence qu'en 1941, à la suite des agressions allemandes et japonaises. Mais en Asie, second théâtre des opérations du conflit, on peut dater son déclenchement de 1937 ! Explications.

Avec l'avènement de l'empereur Hirohito en 1926, un courant nationaliste et militariste prend progressivement le pouvoir au Japon, en écartant les libéraux par une vague d'assassinats ciblés. L'*empire du Soleil-Levant* voit dans la conquête de la Chine un moyen d'assurer des débouchés à sa production industrielle, le marché intérieur étant trop restreint. Profitant de la guerre civile qui fait rage dans la jeune République de Chine entre communistes et nationalistes, les Nippons décident de faire main basse sur la Mandchourie, province du nord-est de la Chine.

Le 18 septembre 1931, le Japon prend prétexte d'un sabotage sur le chemin de fer mandchourien pour occuper Moukden, capitale de la province. L'année suivante, il transforme la Mandchourie en un État fantoche, le Mandchoukouo, plaçant à sa tête l'ancien empereur de Chine, Puyi. Le Japon quitte alors la Société des Nations et prend une orientation plus autoritaire encore, sur le modèle italien et allemand. Isolé internationalement et désormais au contact de l'URSS, il signe un traité d'alliance avec Hitler en novembre 1936, dirigé contre les Soviétiques. Forts ainsi du soutien allemand, les Japonais se lancent à la conquête de la Chine, le 7 juillet 1937, prétextant l'enlèvement d'un de leurs soldats par les Chinois.

En quelques mois, le Japon conquiert près d'un million de kilomètres carrés. Pour abattre la résistance intérieure, l'armée nippone utilise la politique de la terreur et se livre à de nombreux massacres sur les civils. Le 13 décembre 1937, elle pénètre dans Nankin, ancienne capitale impériale et siège du gouvernement nationaliste de Tchang Kaï-chek. Au mépris des conventions internationales, elle exécute sommairement tous les prisonniers. Dans les semaines qui suivent, les massacres s'étendent à tous les civils, causant la mort d'au moins 100 000 Chinois. Mais, après ses premiers succès, le Japon marque le pas face à la résistance chinoise, alors que, pour achever sa conquête, il a besoin de confisquer les matières premières du pays. Lorsqu'en 1940, l'Allemagne entre en guerre contre la France, l'Angleterre et les Pays-Bas, le Japon signe un pacte tripartite avec Hitler et Mussolini et envahit le sud-est asiatique. En riposte, les États-Unis décrètent en juillet 1941 un embargo gelant les avoirs japonais. Le 7 décembre 1941, le Japon y répond en attaquant la flotte américaine à Pearl Harbor.

La Seconde Guerre mondiale a donc débuté et fini en Asie, puisque le Japon capitule quatre mois après l'Allemagne. Grâce à sa résistance, la Chine aura gagné l'un des cinq sièges des membres permanents du Conseil de sécurité de l'ONU.

102.

Pourquoi Winston Churchill a-t-il été nommé Premier ministre sans avoir obtenu la majorité des suffrages ?

Winston Churchill demeure le plus célèbre Premier ministre de l'histoire du Royaume-Uni, notamment pour son rôle déterminant durant la Seconde Guerre mondiale. Mais si le « vieux Lion » a occupé ce poste à deux reprises, il n'a cependant jamais été nommé au *10 Downing Street* à la suite d'une victoire électorale. Explications.

Lorsque la Seconde Guerre est déclarée en septembre 1939, le Royaume-Uni est gouverné depuis huit ans par les conservateurs. Or, le Premier ministre, Neville Chamberlain, est très contesté depuis les désastreux accords de Munich. Afin de rassurer son propre camp, il nomme Winston Churchill, adversaire résolu de l'Allemagne nazie, au poste de Premier Lord de l'Amirauté.

Malheureusement, l'invasion de la Norvège par les Allemands fait définitivement perdre au Premier ministre le soutien de sa majorité. Le 8 mai 1940, il est contraint de former un gouvernement d'union nationale. Poussé tout de même à la démission par ses adversaires travaillistes, il propose sa place à Lord Halifax, membre respecté de la Chambre des lords. Celui-ci refuse, considérant que pour gouverner dans un pareil contexte, le Premier ministre doit appartenir à la Chambre des communes. Le choix se porte alors sur Churchill. Celui qui vient de vivre une traversée du désert de onze années n'a ni le soutien du roi, ni celui de l'aristocratie. Cependant, les décisions qu'il a prises durant la *drôle de guerre* ont démontré leur efficacité.

Revenu aux affaires, Churchill forme aussitôt un gouvernement composé de conservateurs, de travaillistes, de libéraux et d'indépendants. Il accède ainsi au pouvoir non pas à l'issue d'une victoire électorale, mais au terme de tractations politiciennes. Par son art oratoire, il va se rallier la confiance populaire, lançant le 13 mai 1940 cette phrase mémorable : « *Je n'ai à offrir que du sang, de la peine, des larmes et de la sueur !* » On connaît la suite : l'homme politique se métamorphose en véritable chef de guerre, même et surtout lorsque l'Angleterre se retrouve seule face à la déferlante nazie après l'armistice français. Toutefois, en juillet 1945, après dix ans sans scrutin, les élections générales sont favorables aux travaillistes et Churchill, qui a mené son pays à la victoire, doit abandonner son poste de Premier ministre.

Il le retrouve en 1951 après le retour des conservateurs. Une victoire assez paradoxale, puisque si ces derniers ont obtenu la majorité des sièges à l'Assemblée, leur nombre de voix est au total inférieur à celui des travaillistes. Pour la seconde fois, Churchill devient Premier ministre sans avoir la majorité des suffrages ! Mais cette fois, ce sont l'âge et les problèmes de santé qui le chasseront du pouvoir.

103.

Pourquoi, entre 1940 et 1944, le gouvernement français s'est-il installé à Vichy ?

Au début du mois de juin 1940, suite à l'invasion de l'armée allemande, le gouvernement français quitte Paris. Après l'armistice, il s'installe à Vichy, ville qui va donner son nom au nouveau régime collaborationniste. Pourquoi ce choix ?

Fuyant l'avancée irrémédiable de l'ennemi, le gouvernement français se réfugie à Tours, puis à Bordeaux, comme en 1870 et 1914. Le 17 juin, Philippe Pétain remplace Paul Reynaud au poste de président du Conseil et signe cinq jours plus tard un armistice avec Hitler. L'acte prévoit la partition du pays en deux zones principales : la moitié nord du pays et toute la façade atlantique seront occupées par l'Allemagne, tandis que le gouvernement français se voit reconnaître une autonomie toute relative sur le reste du territoire, la « zone libre ».

Le choix de Vichy se fait d'abord par défaut, Bordeaux étant occupée, comme toute la façade atlantique. Un temps envisagée, Lyon est écartée, car la ville est trop connotée politiquement : c'est, depuis plus de trente ans, le fief historique du maire Édouard Herriot qui, en sa qualité de président du Conseil, s'est non seulement opposé aux accords de Munich, mais s'est abstenu de voter les pleins pouvoirs à Pétain (ce qui lui vaudra d'être placé en résidence surveillée en 1942). Marseille est trop excentrée. Quant à Clermont-Ferrand, sa forte population ouvrière, surtout employée dans les usines Michelin, est perçue comme un risque de déstabilisation. C'est Pierre Laval, né à Châteldon, où sa famille était propriétaire d'un château, qui aurait convaincu le maréchal Pétain d'installer le gouvernement à Vichy.

Vichy offre d'autres avantages. D'abord sa situation géographique : la ville n'est en effet séparée que de 50 kilomètres de la ligne de démarcation, elle est reliée à Paris par le train en 4 h 30 et dispose d'un aéroport. Deuxième avantage : sa gigantesque capacité hôtelière (la troisième du pays après Paris et Nice) permet de loger les ministres, les 670 parlementaires, les hauts fonctionnaires de l'appareil d'État, ainsi que leurs familles. Depuis le Second Empire, Vichy est devenue la première ville d'eau française, avec son casino et de somptueux palaces. En outre, elle bénéficie d'un central téléphonique ultramoderne, permettant de joindre le monde entier. Enfin, la présence de nombreuses fermes dans la campagne environnante assure l'approvisionnement en nourriture.

Le 1er juillet 1940, les hôtels sont donc réquisitionnés par le gouvernement et les curistes expulsés. En quelques jours, c'est une marée humaine : 30 000 personnes débarquent soudain dans la cité thermale. Les logements sont choisis par les fonctionnaires suivant l'ordre hiérarchique. Pétain et Laval prennent place dans l'hôtel du Parc, alors le plus cher de France. C'est dans la salle de l'Opéra, de style Art nouveau, que les 9 et 10 juillet 1940, les parlementaires français votent les pleins pouvoirs au maréchal Pétain, mettant fin à la IIIe République.

Le gouvernement français, surnommé « le régime de Vichy », se maintiendra dans la ville jusqu'à la Libération en août 1944. Rue Albert-Colombier à Vichy, une villa du nom de *Castel François* accueille alors le service du reclassement des prisonniers de guerre. L'un des jeunes employés porte le même prénom que la villa : François Mitterrand…

le 2 avril 2015

104.

Pourquoi Hitler considérait-il la « Reine Mère » comme « la femme la plus dangereuse d'Europe » ?

Le 30 mars 2002 s'éteint à cent un ans Élisabeth Bowes-Lyon, épouse du roi d'Angleterre Georges VI, reine consort de 1936 à 1952 et mère d'Élisabeth II. Un grand nombre de chefs d'État rendent aussitôt un hommage unanime à celle que l'on appelait la *Reine Mère*. On salue notamment son rôle durant le second conflit mondial. Il est rappelé à cette occasion qu'Adolf Hitler la considérait durant la guerre comme « *la femme la plus dangereuse d'Europe* ». Pourquoi ?

La haine du Führer à l'encontre de la Reine Mère trouve son origine dans la position déterminante que prit Élisabeth durant la résistance britannique contre l'invasion allemande. En juin 1940, après la défaite française, le Royaume-Uni doit désormais faire face seul à l'Allemagne nazie, l'URSS et les États-Unis n'étant pas encore entrés en guerre. En plein *Blitz*, bombardée quotidiennement par l'aviation ennemie, l'Angleterre est menacée d'invasion. Mais le patriotisme de la reine et son refus de capituler restent inébranlables. À tel point que, lorsque Churchill lui propose de rejoindre le Canada avec ses deux filles, Élisabeth s'y oppose obstinément : « *Les enfants ne partiront pas sans moi, je ne partirai pas sans le roi, et le roi ne partira jamais !* »

Même en septembre 1940, lorsque le palais de Buckingham essuie des bombardements qui manquent de tuer la famille royale, la reine refuse de se réfugier dans son château écossais de Balmoral. Face aux destructions autour de son palais, elle s'exclame alors, avec cet humour si typiquement britannique : « *Je suis heureuse que nous ayons été bombardés, cela me permet de voir l'East End en face* » – l'East End étant un quartier populaire de Londres. Cette attitude lui vaut l'admiration sans borne du pays et permet à ce dernier de conserver un peu d'espoir.

Soucieuse de partager les difficultés de son peuple, la reine reste au Royaume-Uni durant toute la guerre. Elle accompagne son mari lors de ses visites dans les quartiers les plus endommagés de Londres. Elle n'hésite pas à transformer sa demeure familiale de St Paul's Walden Bury en hôpital de campagne. Elle incite même sa fille, la future Élisabeth II, à s'engager en février 1945 dans la branche féminine de l'armée britannique. Après la victoire des Alliés, Élisabeth jouit dans son pays d'une popularité sans égale. On connaît mieux aujourd'hui le rôle de soutien qu'elle sut jouer auprès de son royal époux, qui souffrait d'un cruel défaut d'élocution. Cependant, on sait moins que son aversion pour Hitler était telle qu'elle prit des cours de tir et conservait un revolver dans sa chambre à coucher au cas où le dictateur y pénétrerait !

Jusqu'à sa mort et au-delà, les Britanniques l'appelleront affectueusement *Queen Mum*, comme si elle était devenue leur « maman » à tous.

105.
Pourquoi Napoléon II repose-t-il au côté de son père aux Invalides ?

Fils unique de Napoléon et de Marie-Louise, Napoléon II est mort en Autriche à l'âge de vingt et un ans. En 1940, soit plus d'un siècle après son décès, sa dépouille regagne les Invalides pour reposer au côté de celle de son père. Pourquoi ?

Baptisé *roi de Rome* à sa naissance, l'héritier de Bonaparte est reconnu empereur par le Parlement après la seconde abdication de son père, en 1815. Cependant, la mère s'enfuit avec son enfant de quatre ans à la cour viennoise de son propre père, l'empereur d'Autriche. Celui que son grand-père maternel appelle affectueusement *duc de Reichstag* connaîtra un destin tragique. Venu au monde difficilement, par un « siège », il est fauché à la fleur de l'âge, victime de la tuberculose, au palais de Schönbrunn !

Cette fatalité va inspirer plus d'un artiste. Vingt ans après la mort du jeune homme, Victor Hugo lui dédie un poème, *Napoléon II*, où il désigne Bonaparte et son fils par l'image de l'aigle et de son aiglon : « *Chacun selon ses dents se partagea la proie ; / L'Angleterre prit l'aigle, et l'Autriche l'aiglon.* » En 1900, Edmond Rostand reprend la métaphore pour son célèbre drame : « *Eh bien, moi, sans pouvoir, sans titre, sans royaume, / Moi qui ne suis qu'un souvenir dans un fantôme ! /*

Moi, ce duc de Reichstadt qui, triste, ne peut rien / Qu'errer sous les tilleuls de ce parc autrichien / En gravant sur leurs troncs des N dans la mousse, / Passant qu'on ne regarde un peu que lorsqu'il tousse ! » Le personnage est ainsi ancré dans la mémoire des Français.

Adolf Hitler va tenter d'instrumentaliser ce souvenir pour des raisons politiques. À la fin de l'année 1940, l'Allemagne occupe Paris et le nord de la France depuis bientôt six mois. Et le Führer cherche à gagner les bonnes grâces de l'opinion française. C'est alors qu'Otto Abetz, l'ambassadeur du Reich à Paris, lui suggère, pour fêter les cent ans du retour des cendres de Napoléon aux Invalides, d'y transférer celles de son fils, restées en Autriche. Cela fait plus d'un siècle que la population française attend ce retour ! Hitler accepte cette idée d'autant plus volontiers qu'il est un grand admirateur de Napoléon.

Pour faire d'une pierre deux coups, Hitler prévoit de rencontrer à Paris le maréchal Pétain, ce qui permettrait de donner un coup d'accélérateur à la politique de collaboration. Mais l'avant-veille de la cérémonie, le 13 décembre 1940, le vice-président du Conseil, Pierre Laval, est limogé par le maréchal qui le juge trop proche des Allemands. Le renvoi de ce partisan résolu de la collaboration affaiblit aussitôt les relations franco-allemandes. Le 15 décembre, Pétain se contente d'envoyer son ambassadeur, Fernand de Brinon, aux Invalides. La cérémonie se déroule dans une atmosphère glaciale, en pleine nuit et sous la neige, en présence seulement d'une centaine de curieux.

Un bon mot courut alors dans Paris : « *Ils nous prennent le charbon et ils nous rendent les cendres !* » La manipulation d'Hitler aura complètement échoué.

106.

Pourquoi Staline est-il resté muet après l'attaque allemande du 22 juin 1941 ?

Le 22 juin 1941, l'Allemagne nazie envahit l'URSS, violant ainsi le pacte de non-agression signé deux ans plus tôt. C'est Molotov, le ministre des Affaires étrangères, qui annonce au peuple russe le début de la guerre, tandis que Staline se terre… Jusqu'au 3 juillet, où il réapparaît pour prononcer un discours radiodiffusé appelant les Russes à résister à l'envahisseur. Pourquoi un si long silence ?

Après la conférence de Munich et l'échec d'un rapprochement avec les Occidentaux, Staline redoute que les Alliés détournent vers l'est les ambitions militaires d'Hitler. Pour s'en prémunir, il accepte de signer, le 21 août 1939, un pacte de « non-agression » avec l'Allemagne. Cet accord, qui permet aux deux pays de dépecer l'Europe centrale, offre en outre au Russe un répit indispensable pour reconstruire l'Armée rouge, totalement démantelée par les purges de 1937. De son côté, Hitler peut bénéficier d'importantes livraisons de pétrole, matières premières et blé soviétiques. Le pacte inclut en outre deux clauses secrètes, qui seront dévoilées plus tard : le partage de la Pologne en zones d'influence allemande et soviétique, ainsi que la livraison à l'Allemagne nazie de militants communistes allemands réfugiés en URSS.

Lorsqu'au printemps 1941, Staline est informé qu'une invasion allemande se prépare, il refuse d'y croire. Certes, Hitler poursuivrait ainsi sa théorie de « l'espace vital » fixée de longue date, mais le dictateur soviétique juge les Allemands trop sensés pour reproduire la même erreur stratégique que Napoléon un siècle et demi plus tôt. Il est d'ailleurs si confiant qu'il ne juge pas même utile de camoufler une grande partie de son matériel militaire. Lorsque le 21 juin un déserteur allemand pénètre dans le camp russe pour les avertir de l'attaque, Staline, incrédule, le fait fusiller. Le lendemain, cependant, le dirigeant russe ne peut plus dissimuler sa déroute.

Déprimé et nerveux, Staline passe alors cinq jours entiers à tenter de préparer la défense soviétique, distribuant des ordres irréalistes et incohérents. Lorsque le 29 juin, il apprend que Minsk a été prise, il se persuade que la défaite russe est désormais inéluctable. Brusquement, il part se retirer dans sa datcha de la banlieue moscovite, sans voir quiconque, et abandonnant pratiquement le pouvoir ! Le lendemain, quand des membres du Politburo viennent le chercher dans sa retraite, ils le découvrent prostré, plongé dans une profonde dépression. Staline croit d'abord qu'on vient l'arrêter. Mais il change totalement d'attitude lorsqu'il comprend que ces hommes le pressent simplement d'agir pour la défense du pays et attendent ses ordres. L'allégeance de ses camarades a pour effet de redresser psychologiquement le dictateur, qui retourne au Kremlin, pour préparer un discours destiné à galvaniser le nationalisme russe.

Par la suite, le sacrifice au combat de plus de 13 millions de Soviétiques et la victoire de Stalingrad permettront à Staline de gagner le respect des dirigeants occidentaux. Et ce, en dépit de ses nombreux crimes.

107.

Pourquoi Franklin Roosevelt a-t-il été le seul président américain à faire plus de deux mandats ?

Depuis 1788, tous les quatre ans, les Américains votent pour élire leur président. Si certains résidents de la Maison Blanche sont morts en cours de mandat, ils furent aussitôt remplacés par leur vice-président, de sorte que les élections n'ont jamais été avancées ou reportées. D'autre part, aucun président n'a dirigé le pays plus de huit années. Seule exception notable : le démocrate Franklin Roosevelt. Pourquoi ?

Rédigée en 1787, la Constitution des États-Unis ne contenait à l'origine aucune disposition limitant le nombre de mandats du président. Le premier d'entre eux, George Washington, élu en 1788 et 1792, refuse en 1796 de se porter candidat une troisième fois. Selon lui, le maintien d'un seul homme aux commandes de l'État pour une trop longue période présenterait un danger pour les institutions républicaines, car il reproduirait un comportement de type monarchique, contre lequel se sont justement forgés les États-Unis. Cette décision crée un précédent, et devient une règle tacite de la Constitution américaine qui sera respectée à la lettre par ses successeurs.

Le premier à enfreindre cette jurisprudence est le président Ulysse Grant, héros de la guerre de Sécession. Élu en 1868 et en 1872, ce dernier refuse de se présenter aux élections de

1876, mais se porte candidat du parti Républicain à celles de 1880, précisant que la règle instituée par Washington interdit de cumuler trois mandats successifs et non trois mandats au total. Malgré son immense popularité, Grant ne parvient toutefois pas à obtenir l'investiture de son parti. Une trentaine d'années plus tard, une nouvelle entorse à la règle des deux mandats est tentée par Theodore Roosevelt. Élu vice-président des États-Unis en novembre 1900, il accède aux fonctions présidentielles moins d'un an plus tard, après l'assassinat du président McKinley. Réélu en 1904, il renonce à se représenter en 1908, mais quatre ans plus tard, il se porte à nouveau candidat, prétextant que durant son premier mandat, il n'a été qu'un vice-président devenu président. Desservi par son entorse à la règle des deux mandats, il est battu par le démocrate Woodrow Wilson.

Il faut attendre 1940 pour qu'un président accède à un troisième mandat. Élu en 1932 et 1936, le démocrate Franklin Roosevelt bénéficie du contexte international : la Seconde Guerre mondiale a débuté l'année précédente et le président désire faire bénéficier son pays de son expérience et de sa maîtrise des relations internationales, afin de pouvoir décider ou non de l'entrée des États-Unis dans le conflit. Face à un adversaire modeste, et grâce à son New Deal, qui a atténué la terrible crise de 1929, il est facilement réélu pour la troisième fois. En 1944, il décroche même un quatrième mandat, mais meurt avant de l'achever.

Le Congrès ratifiera en 1951 un 22e Amendement, qui interdit désormais à tout président américain de solliciter un troisième mandat, consécutif ou non. La règle des deux mandats est définitivement garantie.

108.

Pourquoi, vaincue par Mussolini, la mafia a-t-elle ressuscité en Sicile après 1945 ?

En 1925, Benito Mussolini fait de l'éradication de la mafia l'une de ses priorités. Par de vastes mesures coercitives, il parvient pratiquement à son but. Pourtant, à partir du débarquement allié de 1943 et de la chute du *Duce*, la plus célèbre des organisations criminelles renaît de ses cendres. Pourquoi ?

La mafia régnait sur la Sicile depuis le milieu du XIXe siècle. Pour y mettre un terme, Mussolini nomme un préfet de fer à Palerme, Cesare Mori. Doté des pleins pouvoirs, celui-ci fait arrêter des dizaines de milliers de personnes et réprime les mafieux avec une telle férocité qu'en quatre ans, la mafia sicilienne est pratiquement anéantie. Nombre de ses représentants gagnent alors les États-Unis, où leur organisation prospère rapidement, notamment à New York.

Or, lorsque les États-Unis entrent en guerre contre l'Allemagne nazie à la fin de l'année 1941, les services secrets de l'US Navy se mettent en rapport avec la mafia italo-américaine de New York. Puisqu'il contrôle le syndicat des dockers de la ville, le « syndicat du crime » est à même d'empêcher les grèves qui paralysent l'effort de guerre et de mener la lutte contre l'espionnage allemand et les tentatives de sabotage ennemies. Dans le contexte de la guerre, flics et voyous vont ainsi unir leurs forces ! Mais à quel prix ? Le célèbre Lucky Luciano, qui purge une peine de trente ans, est transféré de sa prison dans une maison de repos ; en échange, il accepte en 1942 de coordonner les opérations de contrôle du port de New York.

Plusieurs historiens soutiennent qu'en 1943, Luciano serait même entré en contact avec le parrain de Palerme, Calogero Vizzini, pour faciliter un débarquement allié par le biais de missions de renseignement et de sabotage. La mafia aurait donc joué un rôle déterminant dans le débarquement de Sicile de juillet 1943. Cette thèse longtemps défendue est cependant aujourd'hui contestée. Ce qui demeure certain, c'est qu'après la chute du régime fasciste, les Américains abandonnent délibérément le pouvoir à la mafia, afin de contenir l'influence communiste sur l'île. C'est ainsi que sont nommés, à la tête de la plupart des mairies siciliennes, les anciens mafieux autrefois persécutés par Mussolini. Vizzini devient maire de la ville de Villalba et jouera un rôle central dans la renaissance de la mafia sur l'île.

Les liens entre la mafia et la CIA se poursuivront après la guerre. Dans les années 1950, l'agence de renseignement américaine a protégé et blanchi, au nom de la lutte anticommuniste, des trafiquants de drogue, en particulier le Français d'origine corse Étienne Leandri, ancien collaborateur réfugié en Italie et lié à Lucky Luciano.

109.

Pourquoi la principauté de Monaco est-elle restée indépendante ?

D'une superficie de 2 kilomètres carrés, Monaco est le plus petit État du monde, juste derrière la cité du Vatican. Depuis sept siècles, il est gouverné par les Grimaldi, la plus ancienne des dynasties régnantes en Europe. Pourquoi la France n'a-t-elle pas annexé ce si modeste territoire ?

En 1297, François Grimaldi, dit « la malice », prend possession du Rocher. Ses successeurs vont habilement profiter de la position stratégique de leur fief, situé aux confins de la France et de l'Italie, pour jouer de certains rapprochements diplomatiques. Ainsi, en 1489, Lambert de Monaco obtient du roi Charles VIII que ses terres soient placées sous la sauvegarde du royaume de France. Ce traité novateur serait le premier exemple de protectorat de l'Histoire. Au fil des siècles, la principauté est alternativement soumise à l'influence espagnole, sarde ou française. Jusqu'en 1861, où Napoléon III, qui vient de récupérer le comté de Nice, lui accorde son indépendance pleine et entière.

Libre de toute allégeance, Monaco peut organiser lucrativement son développement. Charles III mise en effet opportunément sur le commerce des jeux, interdit chez ses voisins. La toute nouvelle « Société des Bains de mer » gère hôtels et casinos, tandis que la suppression des impôts encourage l'implantation d'une clientèle de luxe. Son successeur en 1889, Albert Ier, est un « prince navigateur » mais aussi éclairé. Tout en s'adonnant à sa passion pour l'océanographie et l'exploration des fonds marins, il décide de renoncer au pouvoir absolu pour doter la principauté d'une Constitution en 1911. Son propre fils, Louis II, montre moins de perspicacité. Riche et prospère grâce à ses casinos et son régime fiscal, le Rocher est occupé en 1942 par les Italiens, puis par les Allemands qui en font leur centre de surveillance en Méditerranée. Et le « prince soldat » d'ouvrir largement les vannes financières monégasques aux nombreux trafics allemands...

À la libération par les Alliés en septembre 1944, les résistants monégasques veulent déposer le prince Louis II, coupable à leurs yeux d'avoir collaboré avec les Allemands. Ils proposent alors à Raymond Aubrac, commissaire de la République en Provence, que la France annexe purement et simplement la principauté. Aubrac soumet cette proposition au général de Gaulle. Mais ce dernier refuse, lui opposant cette réponse étonnante : « *Vous auriez dû l'envahir d'abord, et m'en parler ensuite. Je vous aurais personnellement approuvé. Mais, comme vous me demandez l'autorisation, je ne peux vous la donner.* »

C'est donc en raison du légalisme du général de Gaulle que Monaco peut aujourd'hui savourer pleinement sa souveraineté et continuer de faire rêver des milliers de personnes à travers le monde. L'Histoire tient parfois à si peu !

110.
Pourquoi les Françaises n'ont-elles pu voter qu'à partir de 1945 ?

Le 29 avril 1945, les Françaises votent enfin, à l'occasion des élections municipales, alors que la Seconde Guerre mondiale n'est pas encore terminée. L'événement est historique, car la France est l'une des dernières démocraties d'Europe à refuser aux femmes un droit pourtant accordé aux hommes un siècle plus tôt, en 1848. Pourquoi la France, patrie des droits de l'Homme et de l'égalité, a-t-elle accumulé un tel retard ?

À la Révolution, le droit de vote est d'abord réservé aux propriétaires de sexe masculin, avant d'être élargi en 1848 à tous les hommes, quels que soient leurs revenus. Les femmes continuent d'en être exclues, étant entendu qu'elles ne sont pas en situation d'exercer un libre choix, compte tenu de leur dépendance économique. C'est alors la norme dans pratiquement tous les pays, à l'exception de quelques États américains, et de la Corse du XVIIIe siècle. Il faut attendre la fin du XIXe et le début du XXe siècle pour que les premiers États accordent le droit de vote aux femmes (Nouvelle-Zélande en 1893, Australie en 1902, Finlande en 1906 et Norvège en 1913). À l'issue de la Première Guerre mondiale, durant laquelle les femmes remplacent les hommes dans les usines et les bureaux, le processus s'étend très vite à l'ensemble des pays du monde. En 1918, Anglaises et Allemandes peuvent voter, imitées l'année suivante par les Canadiennes et les Néerlandaises. En 1920, la Constitution américaine est amendée pour étendre le droit de vote aux femmes, et en 1934, la Turquie kémaliste fait de même. La France, elle, traîne toujours des pieds.

Pourtant, entre 1919 et 1936, pas moins de six propositions de loi visant à accorder le droit de vote aux femmes sont approuvées par l'Assemblée nationale. Mais, chaque fois, le texte est repoussé ou rejeté par le Sénat. Réputée plus conservatrice que la Chambre des députés, cette institution est en fait dominée à l'époque par le parti radical, au centre gauche de l'échiquier politique, qui craint que les femmes ne demeurent sous l'emprise de l'Église et accordent leur suffrage au camp conservateur, ouvertement soutenu par le pape Benoît XV. Défenseurs du régime républicain, les radicaux objectent également que cette population, jugée politiquement immature, pourrait conduire un dictateur à la présidence de la République, comme en 1848. D'ailleurs, en Allemagne, en 1933, Adolf Hitler est élu chancelier, notamment grâce au suffrage féminin. Ce qui n'empêchera pas Léon Blum de nommer trois femmes dans son gouvernement en 1936.

Il faut aussi noter la faiblesse du mouvement des *Suffragettes* en France, largement moins suivi qu'en Angleterre. Ce sera finalement le Gouvernement provisoire du général de Gaulle à Alger qui, lors de l'ordonnance du 21 avril 1944, octroiera aux femmes le droit de vote dans les mêmes conditions que les hommes.

111.

Pourquoi, malgré sa défaite, Hirohito est-il resté empereur du Japon ?

Le 14 août 1945, quelques jours seulement après les bombardements nucléaires d'Hiroshima et de Nagasaki, et la déclaration de guerre soviétique, l'empereur Hirohito annonce à la radio la capitulation du Japon. Elle est signée le 2 septembre. Les Américains occupent alors l'*empire du Soleil-Levant* et traduisent en justice l'ensemble du gouvernement japonais. À l'exception notable de l'empereur. Pour quelle raison ?

Cette décision, très critiquée aux États-Unis et en Australie, est prise par le général Douglas MacArthur, commandant suprême des forces alliées et, de facto, gouverneur du Japon. Elle est motivée par le souci de garantir la cohésion nationale, indispensable aux yeux du général américain pour protéger le pays de l'influence communiste qui menace l'Asie. Le 27 septembre 1945, MacArthur rencontre Hirohito et lui fait part de sa volonté de lui éviter, ainsi qu'aux membres de la famille impériale, toute inculpation ou même audition devant le tribunal de Tokyo – équivalent japonais du tribunal de Nuremberg. Mais en échange, l'empereur et les siens devront accepter une totale coopération avec les Américains.

Pour exonérer Hirohito de toute responsabilité dans la politique japonaise menée durant la guerre, MacArthur s'appuie alors sur la Constitution du Japon de 1889, qui confère au seul Premier ministre tous les pouvoirs de gouvernement. En réalité, la séparation réelle des pouvoirs demeurait assez floue, puisque l'empereur restait le chef des armées. Après les procès de Tokyo, l'empereur renonce à sa nature de « divinité », se contentant d'un rôle purement symbolique, défini par la Constitution de 1947 : il n'est même pas reconnu comme un chef d'État. Et les États-Unis imposent comme condition *sine qua non* au maintien du régime impérial la démilitarisation totale du pays, se réservant ainsi une défense contre le bloc communiste.

En effet, pour dresser un rempart contre l'URSS et la Chine populaire, les États-Unis conserveront d'importantes bases navales, notamment à Okinawa. La Seconde Guerre mondiale est certes terminée, mais le monde vit désormais dans la crainte d'une apocalypse nucléaire. Par le traité de paix signé six ans plus tard, les deux anciens alliés devenus nouveaux adversaires se partagent les possessions du vaincu : les îles Kouriles et Sakhaline deviennent soviétiques, tandis que Taïwan et ses archipels du Pacifique passent sous tutelle américaine. De son côté, le Japon doit reconnaître l'indépendance de la Corée, renoncer à toute forme d'agression et à la nucléarisation de ses forces de défense.

À l'entrée en vigueur du traité de 1952, le Japon retrouve enfin son indépendance politique. Quasiment reconstruit, le pays se lance alors dans un redressement accéléré, qui va le hisser parmi les pays les plus riches de la planète.

112.
Pourquoi Lord Mountbatten a-t-il été le dernier vice-roi des Indes ?

Au sortir de la Seconde Guerre mondiale, le Royaume-Uni sait qu'il n'a plus les moyens de conserver les Indes, alors joyau de son empire colonial. L'indépendance est inéluctable. Mais les Britanniques veulent assurer une transition pacifique et éviter la partition du pays. Pour négocier les modalités de l'indépendance, le Premier ministre Clement Attlee fait appel à Louis Mountbatten, cousin du roi d'Angleterre Georges VI et oncle du duc d'Édimbourg, époux d'Élisabeth II, qu'il nomme vice-roi des Indes. Pourquoi ce choix ?

Plus grande colonie du monde, l'Inde est principalement divisée en deux communautés antagonistes : les Hindous – représentant les trois quarts de la population – et les musulmans. Menés par Mohammed Jinnah, ces derniers refusent de vivre en minorité et exigent la création d'un État islamique indépendant. Après l'échec d'une première conférence de conciliation, Jinnah lance ses fidèles dans une journée d'action, qui se solde en août 1946 par plusieurs milliers de morts dans la seule ville de Calcutta. De son côté, Nehru tente en décembre d'organiser une assemblée constituante, mais elle est boycottée par les opposants musulmans. Gandhi, quant à lui, refuse de voir l'Inde divisée et prône la cohabitation. Dans cette situation de blocage, les affrontements se multiplient. La question de la partition devient si fondamentale et explosive que le gouvernement anglais choisit, en février 1947, de nommer Lord Mountbatten au poste de « vice-roi des Indes ». À lui de régler rapidement les modalités de l'indépendance et l'épineuse question de la partition.

Mountbatten bénéficie d'un énorme prestige. En 1943, il a été nommé par Churchill commandant suprême des forces alliées en Asie du Sud-Est (le *South East Asia Command*). Les Japonais menaçant d'envahir l'Inde, son entreprise était périlleuse. Elle fut pourtant couronnée de succès, puisqu'il parvint à reconquérir la Birmanie, la Malaisie et Singapour. Ce qui lui valut après-guerre d'être nommé *comte de Birmanie*. D'autre part, Mountbatten est un homme pragmatique et clairvoyant. Par exemple, il a su convaincre en 1944 les Alliés de débarquer en Normandie, et non dans le Nord-Pas-de-Calais, avec la réussite que l'on connaît.

Dès son arrivée en Inde, Mountbatten comprend que la partition du pays s'avère être la moins mauvaise des solutions, tant les communautés sont divisées. Il choisit alors d'accélérer le processus d'indépendance afin d'éviter la guerre civile. La séparation est fixée au 15 août 1947, après deux mois d'âpres négociations sur la formation et les frontières des deux nouveaux États : l'Inde et le Pakistan. Nommé premier gouverneur de l'Inde indépendante, Mountbatten rentrera en Europe l'année suivante, soulagé d'avoir en partie évité une catastrophe.

Préposé aux missions impossibles, Lord Mountbatten aimait à dire : « *J'ai la faiblesse congénitale de penser que je peux tout faire !* » Il meurt en 1979, dans un attentat organisé par l'*IRA provisoire* pour attirer l'attention sur la cause irlandaise.

113.

Pourquoi Gandhi n'a-t-il jamais obtenu le prix Nobel de la paix ?

Le prix Nobel de la paix, plus haute distinction morale au monde, semble avoir été créé pour Gandhi, père de l'indépendance de l'Inde et apôtre de la non-violence. Pourtant le Mahatma n'en a jamais été lauréat, à la différence de plusieurs chefs d'État comme Theodore Roosevelt, Aristide Briand, Woodrow Wilson, Mikhaïl Gorbatchev – ou plus récemment Barack Obama, neuf mois seulement après son élection. Pourquoi cet honneur ne lui fut-il jamais accordé ?

Gandhi est nommé à cinq reprises pour l'obtention du prix Nobel de la paix – en 1937, 1938, 1939, 1947 et 1948. Chaque fois, les membres du comité l'évincent, invoquant des raisons diverses. La première est que Gandhi n'a jamais œuvré en faveur du droit international, ni en faveur des droits de l'homme. Aux yeux du comité, il est avant tout un patriote et même un nationaliste indien. On rappelle ainsi qu'en Afrique du Sud, Gandhi s'est seulement élevé contre l'oppression des Indiens, omettant totalement celle, encore plus féroce, subie par les Noirs.

Le pacifisme de Gandhi est également critiqué. Car en 1920 et 1921, ses campagnes de non-violence, fondées sur le boycott des marchandises et des institutions britanniques, ont dégénéré en affrontements violents. Enfin, les pragmatiques Norvégiens sont quelque peu déconcertés par le caractère spirituel et mystique du Mahatma, qui cadre mal selon eux avec l'action d'un homme politique luttant pour l'émancipation nationale. Force est de constater que ces arguments s'apparentent beaucoup à des prétextes et l'on s'interroge encore sur les vraies raisons de ce refus.

L'un des motifs les plus fréquemment avancés est d'ordre géopolitique. En effet, lorsque les prix Nobel sont créés en 1901, la Suède et la Norvège forment un seul et même royaume. Alfred Nobel a tenu à ce que le Nobel de la paix soit décerné par un comité de cinq membres nommés par le Parlement norvégien et non par une académie suédoise comme pour les quatre autres prix de physique, chimie, médecine et littérature. Maintenue après l'indépendance de la Norvège en 1905, cette disposition explique le fait que ce prix est remis à Oslo et non à Stockholm. Or, la Norvège est à l'époque le plus proche allié du Royaume-Uni et le comité Nobel, constitué de personnalités politiques, refuse d'indisposer le gouvernement britannique en distinguant un homme qui combat son impérialisme.

Le 30 janvier 1948, Gandhi est assassiné. Les membres du comité envisagent alors une remise à titre posthume, mais qui bénéficiera du prix puisque le Mahatma n'a ni parti ni descendants ? Ils se contentent, en hommage, de ne pas le décerner cette année-là.

Le comité Nobel semble en avoir conservé des regrets, puisqu'en 1989, il remit le prix au Dalaï-lama, adepte de la non-violence et souvent comparé à Gandhi. En guise de compensation.

114.

Pourquoi le roi des Belges Léopold III a-t-il abdiqué ?

Le 16 juillet 1951, le roi des Belges, Léopold III, abdique au profit de son fils Baudouin. Il met ainsi un terme à la controverse qui empoisonne la Belgique depuis la fin de la guerre, « l'affaire royale ». De quoi s'agissait-il ?

Le 10 mai 1940, la Belgique est envahie par l'Allemagne. Après une résistance héroïque de dix-huit jours, le pays capitule par la voix de son souverain, Léopold III, commandant en chef des armées. Tandis que le gouvernement belge s'exile aussitôt en France afin de poursuivre la lutte, Léopold juge préférable de rester en Belgique. Sa décision est motivée par le souhait de ne pas abandonner ses sujets et de garantir l'intégrité de son pays – que les Allemands avaient fractionné durant la Première Guerre mondiale. Refusant de signer un armistice qui l'aurait contraint à nommer un gouvernement de collaboration, le roi est assigné à résidence par les Allemands au palais de Laeken.

Il n'en reste pas moins que la capitulation de Léopold III est perçue comme une trahison par le président du Conseil français, Paul Reynaud, qui demande à ce que la Légion d'honneur lui soit retirée. Dans le même temps, le gouvernement belge en exil déclare le roi dans l'incapacité de régner, conformément à la Constitution. Prisonnier des Allemands,

Léopold III est déporté le 7 juin 1944 dans la forteresse de Hirschstein en Saxe. Transféré en Autriche, il est libéré par l'armée américaine le 7 mai 1945. Des pourparlers sont alors engagés avec le gouvernement belge pour préparer son retour au pays, mais ils n'aboutissent pas. Outre sa capitulation hâtive, on reproche surtout au roi d'être allé rencontrer Hitler à Berchtesgaden en novembre 1940 et d'avoir épousé, sous l'Occupation, sa maîtresse Lilian Baels. Les deux parties refusant toute concession, Léopold et sa famille s'installent provisoirement en Suisse, tandis que la régence est confiée à son frère Charles.

Faute de trouver un compromis politique, Léopold propose de consulter la population pour régler la question, et s'engage à abdiquer si son retour n'est pas approuvé par plus de 55 % des suffrages. Le 12 mars 1950, 57,68 % des scrutins sont favorables au retour du roi. Toutefois, la polémique a considérablement accru les divisions au sein du peuple belge, les Flamands étant beaucoup plus favorables au roi que les Wallons. En juillet 1950, quelques jours après le retour du roi dans son pays, une grève générale et de violents incidents éclatent en Wallonie, causant la mort de plusieurs manifestants, tués par la police.

La situation est tellement explosive que, pour préserver l'unité de la Belgique, Léopold III préfère confier la lieutenance générale du royaume à son fils Baudouin, le 1er août. Avant d'abdiquer officiellement l'année suivante.

115.
Pourquoi les Français d'Algérie sont-ils appelés les « pieds-noirs » ?

L'origine des surnoms attribués à certaines communautés est souvent mystérieuse. Le plus célèbre demeure sans conteste celui qui désigne du terme de *pieds-noirs* les Français installés en Algérie. D'où vient ce surnom ?

Durant cent trente ans, les Français sont venus s'installer en Algérie, renforçant progressivement leur présence sur le territoire. On les appelait communément « les Algériens », tandis que les indigènes étaient « les musulmans ». L'expression « pieds-noirs » n'a été popularisée qu'à partir de la guerre d'Algérie. De nombreuses théories ont été formulées quant à son origine. D'après certaines sources, les Arabes d'Algérie auraient surnommé ainsi les premiers colons français à cause de leurs chaussures. Eux qui marchaient en babouches claires auraient été saisis par les bottines noires des soldats français, dont la couleur tranchait avec leur uniforme blanc.

On a aussi fait allusion aux colons chargés d'assécher la Mitidja, située dans l'arrière-pays d'Alger. Pataugeant dans les marais, ils en ressortaient pieds et mollets recouverts d'une boue noirâtre, qui contrastait avec leur peau blanche… L'expression pourrait également avoir une origine vinicole. En effet, des Français d'origine languedocienne tentèrent d'implanter de la vigne dans la Mitidja et le terme de « pieds-noirs » serait né de la couleur très foncée, quasi noire, des ceps. À moins qu'il ne fasse simplement référence au foulage du raisin, qui se faisait à l'époque avec les pieds. Aussi intéressantes que soient ces hypothèses, aucune n'explique toutefois pourquoi l'expression mit plus d'un siècle à devenir populaire.

Les sources marocaines offrent des explications encore plus étonnantes. Il semblerait que le mot « pied-noir » soit apparu au Maroc à la fin des années 1930, pour désigner les immigrés venus des zones les plus déshéritées de la péninsule Ibérique et dont les pieds étaient noirs de poussière. Ou bien encore, au début des années 1950, de jeunes Européens installés à Casablanca et amateurs de cinéma américain se seraient eux-mêmes baptisés « pieds-noirs » en référence à l'irréductible tribu indienne des *Black Feet* (qui apparaissent aussi dans la bande dessinée *Tintin en Amérique*).

L'expression se serait alors propagée en Algérie, via les cercles étudiants. Dernière hypothèse, le terme aurait désigné à l'origine les Arabes d'Algérie qui, au début du XXe siècle, travaillaient sans chaussures comme chauffeurs sur les bateaux à charbon reliant Alger à Marseille. Cette formule empruntée à l'argot maritime aurait ensuite été réintroduite par les journalistes métropolitains proches du FLN, au moment de la guerre d'Algérie, pour désigner de manière péjorative les colons. Retournant l'ironie à leur profit, les concernés auraient fini par s'approprier l'expression avec fierté, faisant définitivement du terme « pieds-noirs » le synonyme et le symbole de tous les Français d'Algérie.

116.

Pourquoi le dernier empereur de Chine est-il devenu jardinier ?

En 1964 sortait en France une autobiographie qui fit grand bruit : *J'étais empereur de Chine*. Âgé d'une soixantaine d'années, son auteur, Puyi, fut le dernier empereur mandchou, issu d'une dynastie qui régna sur l'*empire du Milieu* de 1664 à 1912. Retombé dans un quasi-anonymat, il devint simple jardinier et bibliothécaire. Comment le dernier représentant de l'empire le plus peuplé du monde en est-il arrivé là ?

En 1908, Puyi est intronisé empereur de Chine. Âgé de deux ans, l'enfant a été nommé par l'impératrice douairière Cixi pour succéder à son oncle décédé sans héritier, l'empereur Guangxu. En attendant sa majorité, son père, le prince Chun, assure la régence. Mais sa politique conservatrice provoque un fort mécontentement, qui aboutit en 1911 au déclenchement d'une révolution en Chine méridionale. La République est proclamée au sud, avec à sa tête le nationaliste Sun Yat-sen, tandis que Pékin reste aux mains de l'empereur. En 1912, le général Yuan Shikai, ancien conseiller de Cixi, oblige le jeune Puyi à abdiquer, après seulement trois ans de règne. Le régime républicain et l'ancien pouvoir impérial s'entendent pour que Puyi continue de résider dans la Cité interdite avec son personnel : il sera un recours en cas d'effondrement du régime. La forte instabilité politique de la nouvelle république conduit d'ailleurs, en 1917, au rétablissement de Puyi sur le trône, mais seulement pour douze jours.

Dans la Cité interdite, l'adolescent bénéficie d'une éducation à l'européenne, inculquée par le précepteur anglais Reginald Johnston. Fasciné par la culture occidentale, Puyi décide alors de couper sa natte, symbole de la dynastie mandchoue. En 1924, de nouveaux troubles entraînent l'expulsion de Puyi de sa prison dorée. Réfugié dans la concession japonaise de Tianjin, il va servir d'outil de propagande aux autorités nippones, qui préparent la conquête de la Chine. Celles-ci le placent en 1932 à la tête de l'État fantoche du Mandchoukouo, la Mandchourie chinoise que viennent d'annexer les Japonais. Deux ans plus tard, il est intronisé empereur (pour la troisième fois de sa vie) de cette colonie japonaise, sous le nom de *Kangdle*. Drôle de paradoxe : pour redevenir l'empereur de Chine, le jeune souverain doit espérer la victoire du Japon durant la Seconde Guerre mondiale.

Lorsqu'en septembre 1945 le Japon capitule, Puyi est contraint d'abdiquer une troisième fois. Arrêté par les Soviétiques, il est placé en résidence surveillée en Sibérie durant cinq ans, jusqu'à ce que le régime communiste de Mao obtienne son extradition. « Rééduqué » durant dix ans, il est gracié en 1959. Puyi se remarie alors avec une infirmière et devient officiellement jardinier au Jardin botanique de Pékin, puis bibliothécaire, avant de s'éteindre d'un cancer en 1967. Le réalisateur Bertolucci a remarquablement immortalisé son fascinant destin dans *Le Dernier Empereur*, en 1987.

117.

Pourquoi Mao était-il surnommé « le Grand Timonier » ?

S'il est bien une catégorie de personnes dont le surnom est indissociable du patronyme, c'est bien celle des dictateurs. Ainsi, tout le monde identifie Mussolini au « Duce », Franco au « Caudillo », Hitler au « Führer », Kadhafi au « Guide », Staline au « Petit père des peuples » ou encore Fidel Castro au « Commandante ». Certains d'entre eux sont même davantage connus par leur surnom que par leur véritable nom : qui sait par exemple que le tyran cambodgien Pol Pot s'appelait en réalité Saloth Sar ? Ou que le vrai nom de Tito était Josip Broz ? Et qu'en est-il à ce propos du non moins célèbre Mao Zedong ?

Fondateur de la République populaire de Chine en 1949, Mao Zedong est sans nul doute le Chinois le plus célèbre de l'Histoire. À la tête du pays le plus peuplé au monde durant vingt-sept années, il a contribué à en faire une superpuissance incontournable. Il était désigné par le surnom de « Grand Timonier ». Qu'est-ce que cela signifie ?

Dans le vocabulaire de la marine marchande, on appelle « timonier » le marin qui tient le timon, c'est-à-dire la barre, et donne la direction au navire. Cette expression est la traduction chinoise du terme *duoshou* signifiant « celui qui tient le gouvernail ». L'image de Mao en timonier tenant le gouvernail de la Chine est utilisée pour la première fois lors du déclenchement de la Révolution culturelle, en août 1966. Lin Biao, successeur désigné de Mao, la prononce lors d'un discours place Tienanmen, devant des centaines de milliers de gardes rouges. Il s'agit alors de mobiliser la jeunesse contre Liu Shaoqi, président de la République populaire de Chine, et Deng Xiaoping, secrétaire général du Parti communiste chinois. Tous deux accusés de trahir l'esprit révolutionnaire et de prôner le capitalisme économique au nom du pragmatisme, le premier meurt en prison, tandis que le second subit une « rééducation forcée ». Célébrée par de nombreux étudiants occidentaux, la Révolution culturelle chinoise ne s'achève officiellement qu'à la mort de Mao, dix ans plus tard.

Bien que sa politique ait entraîné la mort de plusieurs millions de ses compatriotes, le « Grand Timonier » a été l'objet d'une idolâtrie rarement égalée, non seulement en Chine mais aussi en Occident, où s'est largement diffusé son célébrissime *Petit livre rouge*. Par opposition, Deng Xiaoping, qui dirigera la Chine à partir de 1978 et qui l'ouvrira au libéralisme, sera surnommé « le Petit Timonier ».

118.

Pourquoi la dernière grande puissance coloniale a-t-elle été le Portugal ?

Au sortir de la Seconde Guerre mondiale, pressées par l'ONU, les États-Unis et l'URSS, les puissances européennes acceptent d'accorder l'indépendance à leurs colonies. En Afrique, les décolonisations françaises, belges et britanniques s'achèvent au début des années 1960, alors que les colonies portugaises n'obtiennent leur indépendance qu'à partir de 1974. Comment l'expliquer ?

Le Portugal avait commencé son entreprise de colonisation presque un siècle avant les autres pays européens. S'il a pu conserver aussi longtemps ses possessions d'outre-mer, c'est en raison de la nature dictatoriale de son régime. Ainsi, lorsque les guerres d'indépendance éclatent au début des années 1960, Salazar et les généraux portugais refusent catégoriquement de céder, préférant une répression sanglante. Il faut préciser que les riches colonies africaines permettent au Portugal de bénéficier de matières premières bon marché – pétrole, café, coton, diamants – indispensables à son économie. C'est le cas en particulier de l'Angola, où des dizaines de milliers de colons vivent depuis des siècles.

Mais on ne peut pas aller contre la marche de l'Histoire. En 1961, l'Union indienne annexe par la force les possessions portugaises de Goa, Damão et Diu. La même année, l'Angola se soulève pour réclamer son indépendance. Et aussitôt, la Guinée et le Mozambique suivent le mouvement. Pour le Portugal, il est de plus en plus difficile de maintenir l'ordre parmi les 9 millions d'indigènes qui peuplent son vaste empire. Le pays consacre déjà jusqu'à 40 % de son budget aux guerres coloniales et impose à ses citoyens un service militaire de quatre ans, envoyant au total 800 000 hommes se battre outre-mer. 8 000 n'en reviendront pas. C'est pour échapper au service militaire, et trouver de meilleures conditions de vie, que beaucoup de jeunes hommes émigrent clandestinement à l'étranger, notamment en France.

Aussi, lorsque le 25 avril 1974, la dictature salazariste est renversée par la *révolution des Œillets*, le nouveau gouvernement se résout à ouvrir des négociations avec les mouvements indépendantistes des colonies. Il est urgent de mettre un terme à ces luttes coloniales qui ont épuisé le pays et coûté tant de vies humaines. C'est donc dans une certaine précipitation que les anciennes colonies portugaises acquièrent le statut d'États souverains : la Guinée-Bissau en 1974, l'Angola, le Mozambique, le Cap-Vert et Sao Tomé-et-Principe l'année suivante.

Cependant, ce n'est pas en Afrique mais en Asie que la colonisation portugaise prendra définitivement fin. En 1999, Macao sera restituée à la République populaire de Chine.

119.

Pourquoi l'hymne espagnol est-il sans paroles ?

Chaque retransmission sportive impliquant l'équipe nationale espagnole donne lieu à un spectacle insolite. En effet, l'hymne espagnol est le seul au monde à ne contenir aucune parole, obligeant les patriotes ibériques à se contenter de fredonner la mélodie. Pourquoi cette exception ?

L'origine de « *La Marcha Real* » (en français « La Marche royale ») remonte au XVIIIe siècle. Il s'agissait alors d'une marche militaire, dont l'auteur est resté anonyme. Intitulée « La Marche des Grenadiers », elle ne contenait pas de paroles. C'est le roi Charles III qui impose en 1770 la « Marche des Grenadiers » pour toutes les cérémonies officielles qui se déroulent en présence de la famille royale. Bientôt rebaptisée « La Marche royale », elle devient donc à l'époque l'un des tout premiers hymnes officiels du monde.

Il faut attendre le règne d'Alphonse XIII pour qu'un poète, Edouardo Marquina, tente de placer des paroles sur la mélodie nationale, en écrivant en 1927 un poème intitulé « La Bandera de España ». Ce texte n'aura cependant pas le temps d'être officialisé. En 1931, la république nouvellement instaurée remplace la « Marche royale » par l'« Hymne du Riego », un air anonyme créé en 1820 durant la monarchie libérale.

Or, à la fin de la guerre civile, Franco réintroduit la « Marche royale », lui redonnant son titre originel de « Marche des Grenadiers ». Mais cette fois, avec de nouvelles paroles, écrites par le poète José Maria Peman, sous le titre de « Viva España ». Cet hymne est appris dans toutes les écoles. Après la mort du dictateur en 1975, l'État espagnol conserve officiellement la « Marche royale », mais en rejette le texte, trop associé au franquisme.

En 2007, le Comité olympique espagnol organise un concours national destiné à doter l'hymne espagnol de nouvelles paroles. Le texte lauréat est interprété le 21 janvier 2008 par le ténor Placido Domingo. Cependant, le rejet du public est tel que l'initiative est aussitôt abandonnée. Pour compliquer davantage les choses, les régionalistes catalans, basques ou galiciens refusent d'envisager un hymne dont les paroles ne seraient qu'en castillan. En fin de compte, le fait d'avoir un hymne dépourvu de paroles ne constitue-t-il pas pour le pays la plus belle preuve de singularité ?

L'hymne national français, lui aussi, a connu et connaît encore des déboires. Conçue comme un chant guerrier, notre *Marseillaise* fut composée à l'époque où la France révolutionnaire luttait pour sa survie contre une coalition voulant restaurer l'Ancien Régime. En temps de paix, ses paroles peuvent apparaître sanguinaires et déplacées. Mais on peut se souvenir que des hommes et des femmes furent heureux d'entonner cet hymne devant les pelotons d'exécution, juste avant de mourir pour notre liberté.

120.

Pourquoi Hong Kong est-il resté possession de la couronne britannique jusqu'en 1997 ?

Le 1er juillet 1997, on célébra en Chine le retour de Hong Kong dans l'empire du Milieu après cent cinquante-cinq ans d'occupation britannique. L'événement, auquel participa le prince Charles, fut retransmis dans le monde entier. Pourquoi ce territoire a-t-il appartenu durant plus d'un siècle et demi à la couronne britannique ?

En 1839, une guerre éclate entre l'Angleterre et l'Empire chinois au sujet de l'opium dont font commerce les Britanniques, et ce malgré l'interdiction de l'empereur Daoguang. Durant le conflit, les Anglais s'emparent de l'île de Hong Kong, peuplée de seulement quelques milliers d'âmes, mais jouissant d'une excellente position géographique. Baignée au sud par la mer de Chine, elle est située sur la rive orientale de la rivière des Perles, et non loin de Canton – seule ville chinoise alors ouverte au commerce avec les étrangers.

L'Angleterre, victorieuse en 1842, obtient la cession de l'île de Hong Kong par le traité de Nankin et fait de cette colonie une base stratégique pour le commerce en Extrême-Orient. En 1860, après la seconde guerre de l'opium, l'Angleterre obtient elle aussi de la Chine la péninsule de Kowloon située au nord de l'île. Mais l'ouverture de ports chinois à d'autres pays européens inquiète les Anglais et les conduit à signer avec la Chine une nouvelle convention en 1898. Celle-ci leur attribue un bail emphytéotique de quatre-vingt-dix-neuf ans sur de nouveaux territoires jouxtant Hong Kong, ce qui leur permet d'augmenter considérablement la taille de la colonie. Le terme de ce bail, fixé au 30 juin 1997, ne concerne que ces nouveaux territoires.

Par conséquent, l'île de Hong Kong et la presqu'île de Kowloon auraient théoriquement pu rester anglaises. Mais les nombreux plans d'urbanisme mis en place par les Britanniques ont rendu impossible la séparation. En 1984, le Royaume-Uni s'engage donc à restituer à la Chine la totalité du territoire de Hong Kong en 1997. De leur côté, les Chinois acceptent d'accorder aux Hongkongais une souveraineté économique pour cinquante ans. C'est la politique baptisée « un État, deux systèmes » et énoncée par Deng Xiaoping : Hong Kong fera partie de la Chine sans être soumise aux mêmes règles politiques et économiques.

Comme un sinistre cadeau de bienvenue, à la fin de cette même année 1997, la crise financière asiatique frappera Hong Kong de plein fouet.

INDEX NOMS PROPRES

DATES À RETENIR

-399 : mort de Socrate.

-332 : Alexandre le Grand est couronné pharaon d'Égypte à Memphis.

-305 : le Macédonien Ptolémée Ier devient roi d'Égypte et fonde la dynastie lagide d'où descend Cléopâtre.

-45 : César est nommé dictateur à vie.

-27 : Octave, fils adoptif de César, est le premier empereur romain sous le nom d'Auguste.

0 : date de la naissance du Christ, telle que fixée en 532 par l'Église à partir de la date de la fondation de Rome ; date contestée dès le XVIIe siècle : Jésus serait né en réalité entre -2 et -9.

451 : le roi des Huns Attila lance son armée sur l'Empire romain, n'épargnant personne sur son passage ; on le surnommera le « fléau de Dieu ».

496 ou 498 : Clovis se fait baptiser après la bataille de Tolbiac, dont les Francs sortent victorieux alors que la situation semblait désespérée.

636 : Jérusalem est conquise par le calife Omar.

639 : la mort du roi Dagobert Ier marque le début du déclin des rois mérovingiens dont le dernier est déposé en 751 par son maire du palais Pépin le Bref, premier roi carolingien.

911 : afin de mettre fin aux incursions des Vikings, qu'il est incapable de repousser, Charles III cède au chef normand Rollon la basse vallée de la Seine, origine de la Normandie.

982 : le chef viking Erik le Rouge découvre l'île du Groenland ; son fils Leif Ericson ira vers l'an 1000 jusqu'à Terre-Neuve et sera ainsi le premier Européen à atteindre l'Amérique.

987 : Hugues Capet est sacré roi de France et décide, pour asseoir la dynastie des Capétiens, d'associer son fils à la couronne, coutume qui se perpétuera jusqu'à Philippe-Auguste.

1194 : après la défaite de Fréteval, les archives royales qui suivaient partout le roi sont détruites par les Anglais ; elles resteront désormais à Paris, ainsi désignée comme capitale politique.

1215 : la Grande Charte des libertés d'Angleterre (*Magna Carta*), socle des institutions britanniques, est accordée à ses barons par le roi Jean sans Terre.

1297 : la canonisation de Saint Louis est officialisée par le pape Boniface VIII qui souhaite surtout améliorer ses relations avec le roi de France Philippe le Bel.

1305 : le Français Bertrand de Got, devenu pape sous le nom de Clément V, choisit de résider à Avignon et non à Rome, à l'écart des affrontements entre factions rivales.

1307 (13 octobre) : Philippe IV le Bel fait arrêter les Templiers, dont la richesse et la puissance militaire l'inquiètent ; la dissolution de l'ordre sera approuvée en 1312 par le pape.

1337 : pour éviter l'accession au trône de France du roi d'Angleterre Édouard III, les juristes exhument une loi datant de Clovis, dite *salique*, qui écarte les femmes de la succession.

1349 : acquis par le traité de Romans, le Dauphiné sera désormais confié au fils aîné du roi de France qui sera appelé « dauphin » ; le premier à porter ce titre est le futur Charles V.

1360 : traité de Brétigny ; le roi Jean le Bon, fait prisonnier à Poitiers, est libéré par les Anglais mais laisse en garantie de la rançon à verser son fils Louis ; Louis s'étant évadé en 1363, il regagnera sa prison.

1492 : Christophe Colomb croit être arrivé aux Indes ; il accoste en réalité aux Bahamas, puis sur le continent américain.

1500 (22 avril) : cherchant après Vasco de Gama une nouvelle route vers les Indes, le jeune navigateur portugais Pedro Álvares Cabral découvre par hasard le Brésil.

1506 (22 janvier) : prolongeant une alliance conclue en 1379 avec les cantons suisses, le pape Jules II fait des 200 soldats qu'il a obtenus de la diète suisse sa garde officielle.

1514 : le roi Louis XII, veuf et sans héritier mâle, se remarie avec Marie Tudor, sœur d'Henri VIII d'Angleterre ; heureusement pour le futur François Ier, il meurt presque aussitôt.

1521 : François Ier est malencontreusement blessé au visage par un tison enflammé ; pour dissimuler ses cicatrices, il décide de se faire pousser la barbe, lançant la mode à la Cour.

1539 : l'ordonnance de Villers-Cotterêts de François Ier rend obligatoire l'usage du français pour les actes administratifs – le français devient notre langue officielle.

1534 : après s'être vu refuser par le pape l'annulation de son mariage avec Catherine d'Aragon, Henri VIII se proclame « unique et suprême chef de l'Église d'Angleterre ».

1542 : pour lutter contre la progression de la Réforme, la papauté crée le Saint-Office ou Sacrée Congrégation de l'Inquisition qui sera surtout active dans le sud de l'Europe.

1566 : commencée le 14 avril, l'année s'achève le 31 décembre, en application d'un édit de Charles IX qui fixe pour l'ensemble du royaume le début de la nouvelle année au 1er janvier.

1569 : le royaume de Pologne et le grand-duché de Lituanie s'unissent sous le nom de « République des Deux Nations », une monarchie élective. Le premier roi élu est Henri de Valois.

1574 : Henri de Valois abandonne le trône de Pologne pour celui de France. Henri III est le troisième fils de Catherine de Médicis à régner, ses deux frères aînés étant morts sans héritier.

1579 : grâce à Guillaume d'Orange, l'Union d'Utrecht signe l'indépendance des anciens Pays-Bas espagnols ; en son hommage, les Pays-Bas adopteront l'orange pour couleur nationale.

1582 : le pape Grégoire XIII promulgue un nouveau calendrier, dit grégorien, pour remplacer le calendrier julien, dont le décalage par rapport au soleil avait atteint onze jours.

1594 : la ville de Reims étant sous le contrôle de l'armée des Ligueurs, c'est à la cathédrale de Chartres qu'Henri IV est sacré roi de France.

1603 : à la mort d'Elizabeth Ire sans enfant, une dynastie écossaise accède au trône d'Angleterre en la personne de son cousin Jacques VI qui lui succède sous le nom de Jacques Ier.

1607 : les couronnes de France et de Navarre sont officiellement rattachées, consacrant le souverain français « roi de France et de Navarre ».

1637 : en Hollande, à la suite de folles spéculations, les cours de la tulipe s'effondrent brutalement ; c'est le premier « krach » financier de l'Histoire.

1649 : impopulaire et contesté, après deux ans de guerre civile entre ses partisans et ceux de son principal opposant Cromwell, le roi d'Angleterre Charles Ier est décapité à Whitehall.

1682 : Louis XIV et sa cour s'installent à Versailles.

1685 : Louis XIV signe l'édit de Fontainebleau qui révoque l'édit de Nantes signé par Henri IV et fait du catholicisme la seule religion du royaume.

1686 : pour fêter la guérison du roi Louis XIV malade, Mme de Brinon compose les vers d'un cantique mis en musique par Lully, *Que dieu protège notre roi*. Traduit en anglais, il deviendra l'hymne britannique !

1688 : 178 familles protestantes françaises embarquent aux Pays-Bas pour la colonie du Cap, en Afrique du Sud.

1700 : mort du roi Charles II d'Espagne ; le successeur qu'il s'est désigné, le petit-fils de Louis XIV, Philippe d'Anjou, accède au trône espagnol sous le nom de Philippe V.

1711 : le Grand Dauphin meurt à l'âge de quarante-neuf ans : ses parents étant cousins germains, il avait le même nombre d'arrière-grands-parents que de parents.

1715 : Louis XIV meurt en laissant le royaume dans une situation économique désastreuse.

1717 : en visite en France, le tsar Pierre le Grand, séduit par Versailles et la culture française, introduit à la cour de Russie le français qui deviendra la langue officielle sous le règne de sa fille Élisabeth Ire.

1725 (8 février) : Catherine Ier de Russie succède brièvement à Pierre le Grand : beau destin pour cette servante réduite à l'esclavage et à la prostitution dont le tsar était tombé amoureux.

1725 (5 septembre) : marié d'urgence car il est de santé fragile et on craint qu'il ne décède sans enfant, Louis XV épouse une princesse polonaise de petite noblesse mais en âge de procréer, Marie Leczynska.

1754 : début en Amérique du Nord, avec pour enjeu les territoires d'outre-mer, de la guerre de Sept Ans qui s'étend bientôt à l'Europe entière, devenant le premier conflit mondial de l'Histoire.

1768 : la Corse, en révolte contre les Gênois avec le soutien de l'Angleterre, est achetée par la France qui ne tient pas à y voir s'installer les Anglais.

1789 : pour mettre fin au long supplice des condamnés à mort, le député Joseph Guillotin propose à l'Assemblée constituante une machine qui donne la mort par décapitation.

1791 : pour apaiser les conflits entre anglophones et francophones, le roi George III d'Angleterre partage le Canada en deux provinces, dont le Bas-Canada (Québec) est réservé aux francophones.

1792 : composé à Strasbourg, mais parvenu à Paris par la voix des fédérés marseillais, le *Chant de départ pour l'armée du Rhin* s'impose comme l'hymne de la République sous le nom de *Marseillaise.*

1792 : adopté par les Parisiens, le bonnet phrygien, porté dans l'Antiquité par les esclaves affranchis, imposé le 20 juin à Louis XVI, devient le symbole de la République française.

1793 : Marie-Antoinette est guillotinée, dix mois après son époux le roi Louis XVI, à la suite d'un procès bâclé dont Robespierre fit accélérer l'issue.

1794 : un décret adopte un nouveau drapeau pour pavillon de marine : bleu au mât, blanc au centre, rouge flottant ; ce pavillon donnera naissance à notre drapeau national.

1794 : sous l'accusation posthume de trahison, la sépulture de Mirabeau est retirée du Panthéon.

1798 : Napoléon Bonaparte défait les Mamelouks à la bataille des Pyramides lors d'une expédition qui sera finalement un fiasco mais a pour but de couper aux Britanniques la route des Indes.

1800 : le président des États-Unis John Adams s'installe dans la toute nouvelle ville de Washington, fondée *ex nihilo* à partir de 1787 pour devenir la capitale des États-Unis.

1800 : un Acte d'Union rattache l'Irlande au Royaume-Uni, consacré par un nouveau drapeau : l'Union Jack.

1801 : le système métrique, adopté par la Convention le 7 avril 1795 dans un désir d'unification, est rendu obligatoire en France.

1804 : Beethoven achève sa « Symphonie Bonaparte », rebaptisée quelques mois plus tard « Symphonie Héroïque », lorsque le compositeur perd son admiration pour Bonaparte devenu empereur.

1806 : Napoléon rétablit la co-souveraineté française sur Andorre, abandonnée sous la Révolution, et attribue le statut de coprince d'Andorre au chef de l'État français, quel que soit le régime politique.

1811 : un comptoir est fondé au nord de San Francisco par la Compagnie russe d'Amérique qui détient le monopole du commerce des fourrures sur la côte ouest de l'Amérique.

1814 : à Washington, la demeure du président est incendiée par les Britanniques en même temps que le Capitole ; les murs extérieurs auraient été recouverts de blanc afin de masquer les dégâts, d'où viendrait son nom de Maison Blanche.

1815 : Amsterdam est désignée dans la nouvelle constitution des Pays-Bas comme la capitale officielle, alors que le nouveau roi Guillaume Ier a choisi La Haye ; à compter de ce jour, il y aura deux capitales.

1818 : Bernadotte, ex-maréchal de Napoléon, qui, placé sur le trône de Suède a toujours fait passer l'intérêt des Suédois avant celui de l'Empereur, devient officiellement roi de l'Union des royaumes de Suède et de Norvège.

1830 (5 juillet) : pour réparer l'offense faite au consul de France, que le dey d'Alger a souffleté de son chasse-mouches, les Français prennent Alger et obligent le dey à capituler.

1830 (2 août) : Louis-Antoine, fils de Charles X, règne vingt minutes sous le nom de Louis XIX afin de pouvoir céder ses droits à son fils Henri après l'abdication de Charles X ; Henri V ne régnera lui que cinq jours, avant que Louis-Philippe Ier ne soit proclamé « roi des Français ».

1848 : le poète Lamartine, figure clé des républicains et défenseur du suffrage universel, essuie un échec cuisant à l'élection présidentielle.

1870 : un décret d'Adolphe Crémieux accorde la citoyenneté française aux juifs d'Algérie – mais pas aux musulmans.

1871 (13 février) : l'élection de Giuseppe Garibaldi comme député de Paris, d'Alger, de la Côte-d'Or et de Nice, est invalidée car il n'est pas français, étant né en 1807 à Nice (annexée en 1860).

1871 (18 janvier) : proclamation de la naissance de l'Empire allemand dans la galerie des Glaces à Versailles, lieu choisi par Bismarck pour humilier les Français.

1871 (23 mai) : le palais des Tuileries est incendié par les communards au cours de la Semaine sanglante.

1875 : l'amendement anodin du député Henri Wallon sur la durée du mandat présidentiel introduit officiellement le mot « République », mettant fin aux projets de restauration de la monarchie.

1883 : la mort d'Henri d'Artois, dernier descendant direct de Louis XIV, sans héritier, ouvre entre orléanistes et légitimistes une querelle de succession au trône de France non réglée à ce jour.

1885 : afin d'éviter des conflits entre puissances coloniales, la conférence de Berlin sur le partage de l'Afrique, attribue le Congo à Léopold II, roi des Belges, à titre privé.

1887 : le président Jules Grévy est contraint de démissionner après la découverte d'un trafic d'influences et de décorations dans lequel son gendre est impliqué.

1895 : le capitaine Alfred Dreyfus, accusé de trahison, est dégradé dans la cour des Invalides et expédié au bagne ; cette injustice fait naître l'idée de la conception d'un État juif.

1901 : mort de la reine Victoria, dont les quarante-deux petits-enfants justifient le surnom de « grand-mère de l'Europe » : ses descendants se retrouvent aujourd'hui dans la quasi-totalité des familles régnantes.

1904 : signature entre le Royaume-Uni et la France de l'« Entente cordiale », qui doit beaucoup à la francophilie du prince de Galles devenu le roi Édouard VII.

1905 : après le référendum sur l'indépendance de la Norvège, annexée en 1814 par la Suède, le prince Charles de Danemark est choisi comme roi de Norvège sous le nom d'Haakon VII.

1905 : la loi de séparation des Églises et de l'État est votée ; elle ne s'applique cependant ni à l'Alsace, ni à Metz ni à la Lorraine du Nord qui sont alors allemandes et qui refuseront après 1918 sa ratification.

1907 : Clemenceau, ministre de l'Intérieur, crée les brigades mobiles, dites « brigades du Tigre », du surnom que lui valent son inflexibilité et sa poigne de fer.

1908 : la distance du marathon des Jeux olympiques de Londres est portée à 42,195 kilomètres afin qu'il démarre au pied de la terrasse du château de Winsor, d'où les petits-enfants royaux pourront admirer les coureurs ; elle devient longueur officielle du marathon.

1908 : Charles Bonaparte-Patterson, petit-neveu de Napoléon, general attorney des États-Unis, crée un service d'enquêteurs spécialisés dans la lutte contre le crime organisé, le Bureau of Investigation (BOI), rebaptisé FBI (Federal Bureau of Investigation) en 1935.

1903 : la mise à disposition de l'armée française par Eiffel de sa tour pour l'installation d'antennes de TSF, qui fait d'elle le premier relais radio de France, la sauve de la démolition.

1917 : la désastreuse bataille du Chemin des Dames, en Picardie, rend tristement célèbre la route construite peu avant 1789 par la duchesse de Narbonne pour permettre aux filles du roi, Dames de France, d'accéder à son château de la Bove.

1918 : le général Pétain, très populaire parmi les poilus pour l'attention qu'il porte à ses hommes, reçoit le bâton de maréchal de France pour les avoir conduits à la victoire.

1919 : au Vietnam, Ngô Van Chiêu fonde le caodaïsme, qui voue entre autres un véritable culte à Victor Hugo.

1920 : après seulement quelques mois de mandat, le président Paul Deschanel présente sa démission : tombé au mois de mai du train présidentiel en marche, il est très ébranlé psychologiquement.

1921 : coup d'État de Reza Khan qui, bien que réformiste, conserve pour des raisons stratégiques le système monarchique et se fera couronner nouveau chah d'Iran en 1925.

1921 : pour mettre fin aux troubles qui agitent l'Irlande, le Premier ministre anglais Lloyd George se résout à une partition de l'île en accordant l'indépendance aux vingt-six comtés d'Irlande du Sud.

1924 : Saint-Pétersbourg, ancienne capitale des tsars, déjà rebaptisée Petrograd en 1914, devient Leningrad, en hommage à Lénine ; elle retrouvera son nom originel en 1990.

1925 : l'exubérante *Revue nègre*, dansée au Théâtre des Champs-Élysées, fait de Joséphine Baker une icône de la vie parisienne et des « Années folles ».

1930 : le général Franco se voit décorer par la France du grade de commandeur de la Légion d'honneur pour son comportement lors de la guerre du Rif.

1931 : le statut de Westminster reconnaît l'autonomie de ses anciennes colonies, appelées *dominions*, au sein du Commonwealth présidé par le roi ou la reine d'Angleterre, ainsi souverain de quinze royaumes.

1937 : le Japon, qui a signé un traité d'alliance avec Hitler, et satisfaisant des visées expansionnistes, envahit la Chine ; ainsi, la Seconde Guerre mondiale débute-t-elle en réalité en Asie.

1940 (10 mai) : après la démission de Chamberlain, Winston Churchill devient Premier ministre par démission, sans aucune majorité ; de même, en 1951, le vieux conservateur sera réélu à ce poste, alors que ce sont les travaillistes qui ont obtenu la majorité des voix.

1940 (2 juillet) : après la signature de l'armistice, le gouvernement français quitte Paris et s'installe à Vichy, proche de la ligne de démarcation.

1940 : bombardée quotidiennement, l'Angleterre résiste à Hitler, à l'image de la reine Elizabeth qui refuse de capituler et qu'Hitler qualifiera de « femme la plus dangereuse d'Europe ».

1940 (5 novembre) : bénéficiant du contexte international, Franklin Roosevelt est réélu président pour la troisième fois ; il est le seul président américain à avoir enfreint la règle tacite de la Constitution qui veut que le nombre de mandats soit limité à deux.

1940 (15 décembre) : les cendres de Napoléon II sont transférées aux Invalides au côté de celles de son père, à l'initiative d'Hitler qui pense ainsi amener l'opinion française à adhérer à la collaboration.

1941 : l'Allemagne nazie envahit l'URSS, violant le pacte de non-agression signé en 1939, ce qui laisse pendant quelques jours Staline incrédule et incapable de réagir.

1943 : le débarquement de Sicile se serait déroulé avec l'aide de la mafia italo-américaine de New York, recrutée dès 1941 par les services secrets de l'US Navy, ce qui expliquerait que les Américains aient après la guerre laissé le champ libre à la mafia en Sicile.

1944 : les résistants monégasques proposent la déposition du prince Louis II, coupable à leurs yeux d'avoir collaboré avec les Allemands, et l'annexion à la France de la principauté ; le général de Gaulle refuse.

1945 (29 avril) : les Françaises, longtemps écartées des urnes par les radicaux, votent pour la première fois à l'occasion des élections municipales en vertu du droit qui leur a été accordé le 21 avril 1944.

1945 (2 septembre) : la capitulation du Japon est l'objet d'une tractation entre l'empereur Hiro-Hito et les Américains qui acceptent de lui éviter toute poursuite en échange d'une totale collaboration.

1947 : Lord Mountbatten est nommé au poste de « vice-roi des Indes » pour régler la question explosive de la division de l'Inde ; il procède le 15 août à la partition et à la formation de deux nouveaux États, l'Inde et le Pakistan.

1948 : Gandhi est assassiné ; proposé à cinq reprises pour le prix Nobel de la paix, il ne l'a jamais obtenu.

1951 (16 juillet) : le roi des Belges Léopold III abdique en faveur de son fils Baudouin, mettant un terme à « l'affaire royale » qui empoisonne le pays depuis la fin de la guerre.

1959 : le dernier empereur de Chine, Puyi, réfugié au Japon puis arrêté par les Soviétiques en 1945, est gracié après cinq ans de rééducation en Sibérie et dix ans de rééducation.

1966 : lors du déclenchement de la Révolution culturelle, Lin Biao utilise pour la première fois le terme de « Grand Timonier » pour désigner Mao lors d'un discours place Tienanmen, devant des centaines de milliers de gardes rouges.

1974 : la dictature salazariste portugaise est renversée par la révolution des Œillets, qui met en même temps à bas la dernière puissance coloniale.

1997 : Hong Kong est rétrocédé par la couronne anglaise à la Chine, à la fin du bail de quatre-vingt-dix-neuf ans signé en 1898 qui avait permis aux Anglais d'y installer une base commerciale.

2008 : le texte lauréat du concours organisé par le Comité olympique espagnol afin de doter l'hymne national de paroles ne rencontre aucun succès : l'Espagne reste le seul pays au monde à avoir un hymne uniquement musical.

DU MÊME AUTEUR

CHEZ ALBIN MICHEL

CHÂTEAUX ROYAUX DE FRANCE,
novembre 2013

SECRETS D'HISTOIRE 1, 2, 3 ET 4,
octobre 2010 à 2013

LE BEL ESPRIT DE L'HISTOIRE,
mai 2013

LE DESTIN D'UNE REINE,
avril 2012

UNE VIE DE CHIEN,
octobre 2009

GRACE KELLY,
septembre 2007

MON ROYAUME À MOI,
mars 2000

Remerciements à Julien Colliat, Olivier Lebleu,
Virginie Caminade, Cécile Meissonnier,
Marie-Paule Rochelois et Alain Manquat

Composition Nord Compo
Impression CPI Bussière en mai 2014
Éditions Albin Michel
22, rue Huyghens, 75014 Paris
www.albin-michel.fr
ISBN : 978-2-226-25684-3
N° d'édition : 21360/01 – N° d'impression : 2009744
Dépôt légal : juin 2014
Imprimé en France